D0168272

Les Trois Femmes du Consul

Du même auteur

Romans

Les sept vies d'Edgar et Ludmilla, Gallimard, 2019 ; Écoutez lire, 2019.

Le Suspendu de Conakry, Flammarion, 2018 ; Écoutez lire, 2018 ; Folio, 2019.

Le Tour du monde du roi Zibeline, Gallimard, 2017 ; Écoutez lire, 2017 ; Folio, 2018.

Check-Point, Gallimard, 2015 ; Écoutez lire, 2015 ; Folio, 2016.

Les enquêtes de Providence, Folio, 2015.

Le Collier rouge, Gallimard, 2014 ; Écoutez lire, 2014, 2015 ; Folio, 2015.

Immortelle randonnée : Compostelle malgré moi, Guérin, 2013 ; Audiolib, 2013 ; Gallimard, 2013 ; Folio, 2014.

Le Grand Cœur, Gallimard, 2012 ; Écoutez lire, 2013 ; Folio, 2014.

Sept histoires qui reviennent de loin, Gallimard, 2011 ; Folio, 2012 ; Étonnants classiques, 2016, sous le titre *Les naufragés et autres histoires qui reviennent de loin.*

Katiba, Flammarion, 2010 ; Folio, 2011.

Le Parfum d'Adam, Flammarion, 2007 ; Folio, 2008.

La Salamandre, Gallimard, 2005 ; Folio, 2006.

Globalia, Gallimard, 2003 ; Folio, 2005.

Rouge Brésil, Gallimard, 2001. Prix Goncourt ; Folio, 2003 ; 2014.

Les Causes perdues, Gallimard, 1999. Prix Interallié ; Folio, sous le titre *Asmara et les causes perdues*, 2001.

(Suite en fin d'ouvrage)

Jean-Christophe Rufin
de l'Académie française

Les Trois Femmes du Consul

Flammarion

978-2-0814-2025-0

I

Il avait fini noyé au fond de sa piscine et ça n'avait surpris personne.

Depuis le temps que Béliot, le vieux Béliot, comme il se qualifiait lui-même, cultivait la haine autour de lui, il fallait bien que la violence éclate un jour. Dans la communauté des expatriés du Mozambique, il était à la fois connu de tous et tenu à l'écart. Même les Français installés sur place l'évitaient. Ils étaient pourtant peu nombreux dans cette ancienne colonie portugaise d'Afrique. Quant aux étrangers de passage, touristes, fonctionnaires internationaux ou cadres en mission pour leur entreprise, aucun ou presque ne s'aventurait chez lui.

Son hôtel, la Résidence dos Camaroes, était pourtant bien situé, près du centre-ville, à une courte distance du port. Mais il avait couru trop d'histoires à propos de cet établissement et sa réputation en avait souffert. Les rares clients qui s'y aventuraient quand même se trouvaient vite témoins de scènes gênantes.

Béliot passait ses journées assis sur un fauteuil en rotin garni de coussins fatigués, face au jardin et à la piscine. Sur une table basse devant lui étaient éparpillés des journaux et, la plupart du temps, des glaçons creux flottaient dans un verre de whisky. Un petit bouton, dissimulé sous la table, permettait d'appeler une serveuse. Deux ou trois jeunes Africaines se relayaient à l'office. Quand la sonnette retentissait, cinq fois, jamais moins, celle qui était de service arrivait en traînant la savate. Béliot lui donnait des ordres secs qui claquaient comme des coups de chicotte.

Les filles étaient habituées. Elles avaient trouvé un bon moyen d'apaiser la mauvaise humeur du patron : elles boudinaient leurs fesses dans des jupes trop serrées et laissaient leur chemisier déboutonné jusqu'en haut du ventre. En posant le verre de whisky que Béliot avait réclamé, elles prenaient soin de se pencher sur lui et de laisser vibrer devant son nez une mamelle noire et soyeuse qui l'adoucissait. Elles repartaient ensuite vers le quartier des domestiques en faisant onduler leur croupe. Le temps avait beau passer, l'âge venir, le corps s'affaiblir, le vieux Béliot n'avait pas vu se desserrer l'étau de la chair. Il continuait de fixer les fesses et les cuisses qui s'éloignaient en jetant sur elles un regard embrumé par le désir. Et, de temps en temps, il allait jusqu'à y porter la main, ce que les filles acceptaient par contrat. Elles savaient que le vieux Blanc n'irait pas plus loin car les nombreuses femmes officielles qui l'entouraient veillaient.

La Résidence dos Camaroes était une ancienne maison de maître agrandie par le haut et sur les côtés. Béliot l'avait transformée lui-même. Dans son premier métier de conducteur de travaux publics, il avait réalisé bien des ouvrages : ponts, aéroports, immeubles. De nombreux bâtiments officiels de la capitale mozambicaine et de beaucoup d'autres villes sur tout le continent africain étaient son œuvre. Aucun édifice cependant ne l'avait rendu aussi fier que cette propriété personnelle. Il l'avait achetée pour presque rien, juste après la décolonisation du Mozambique, en 1975. C'était la demeure d'un colon portugais peu fortuné qui avait pris la fuite. Elle valait surtout par son grand jardin tropical planté d'arbres indigènes, manguiers et palmiers, auxquels se mêlaient des essences importées du Brésil, comme des jacarandas et des pitomberas. Cette haute végétation donnait au jardin une ombre fraîche, particulièrement appréciable maintenant que Maputo était devenue une capitale embouteillée et bruyante.

Béliot avait acquis la propriété sans trop savoir à quoi elle lui servirait car, à cette période de sa vie, il changeait de pays au gré de ses chantiers. La ville s'appelait encore Lourenço Marques et elle avait l'aspect d'une petite sous-préfecture portugaise endormie. L'entrepreneur y passait ses vacances et prévoyait d'y prendre sa retraite. La maison s'était agrandie au fil du temps jusqu'à ce que, finalement, Béliot la transforme en hôtel. Il avait cependant pris soin de ne pas toucher à la terrasse couverte où il se tenait, face à la piscine. Ce coin d'ombre entre des colonnes carrées n'avait pas changé depuis l'époque du petit pavillon colonial. On y voyait toujours les mêmes coussins en toile d'un orange démodé, la même cage en métal pour le mainate, les mêmes pots suspendus, chargés de plantes tropicales qui sentaient l'éponge moisie. Seules les serveuses alanguies étaient remplacées régulièrement, afin qu'elles conservent leur fraîcheur relative.

Ce qui avait été construit sur ce terrain, l'hôtel, le restaurant avec ses tables égaillées autour de la piscine, l'aile des bureaux où étaient installées la réception et la comptabilité, ne semblait pas appartenir au même monde que la résidence primitive. En somme, Béliot était toujours chez lui. Il ne faisait que tolérer, pour autant que son humeur le lui permît, la présence indiscrète des clients et du personnel.

Dans un premier temps, ceux qui avaient l'imprudence de descendre dans cet établissement appréciaient de se sentir chez quelqu'un. Pendant un séjour lointain ou au début d'une pénible expatriation, c'est un sentiment bien agréable pour le voyageur de retrouver l'intimité d'une maison privée. Mais très vite, ce confort virait au cauchemar.

Il y avait d'abord les réveils de Béliot, en milieu de matinée. Il sortait de sa chambre, située au rez-de-chaussée derrière la terrasse, vêtu la plupart du temps d'un maillot de corps trop large qui découvrait ses bras décharnés. Autour de son ventre, une énorme ceinture herniaire s'efforçait de contenir plusieurs éventrations. Ses jambes grêles, boursouflées de varices, s'offraient à la vue des clients qui terminaient leur petit-déjeuner dans l'ombre des parasols, entourés des vives couleurs des fleurs d'hibiscus et des tamaris. En allant s'asseoir sur son éternel fauteuil face à la piscine pour prendre un premier verre, Béliot les gratifiait même, à travers son caleçon trop large, de vues indiscrètes sur sa pendante intimité. Ce spectacle éveillait chez les résidents une gêne qui se muait assez vite en dégoût.

Ensuite, quand retentissaient les premiers éclats de voix, les premières insultes adressées par Béliot aux femmes de service, les intrus prenaient la fuite. Un tel traitement infligé aux pensionnaires avait fini par remonter aux oreilles des rédacteurs de guides touristiques. Le principal d'entre eux vantait l'établissement de Béliot pour la beauté de son jardin et la qualité de ses chambres. Mais un commentaire très sévère, fondé sur un résumé assez juste du caractère du patron, dissuadait les voyageurs de s'y arrêter.

L'hôtel était donc la plupart du temps vide. Béliot, assis face à sa piscine, passait la journée à faire des réussites, à feuilleter les journaux et à boire. À mesure que les whiskies se succédaient, il se tassait dans son fauteuil et s'assoupissait.

À la tombée de la nuit équatoriale, à dix-huit heures quelle que soit la saison, la piscine s'allumait et Béliot, royal, commençait ses audiences. Quelques personnages, Africains et Blancs, toujours les mêmes, lui rendaient visite un par un, à deux parfois, jamais davantage.

Béliot disposait d'un petit boîtier qui lui permettait de changer la couleur des éclairages de la piscine. Quand ses visiteurs étaient partis, il jouait encore longtemps avec la commande et contemplait chaque nuance de l'eau. Cette vue le plongeait dans une rêverie dont il n'avait pas épuisé les charmes au fil des années. Quand il finissait par s'endormir, deux serveuses le saisissaient sous les épaules et le mettaient au lit.

*

Aurel Timescu, Consul adjoint auprès de l'ambassade de France à Maputo, en arrivant en poste dans la capitale six mois plus tôt, n'avait pas eu le choix : il n'y avait plus aucune place disponible dans les hôtels abordables de la capitale, à cause de la Coupe d'Afrique de football. En attendant que l'appartement libéré par son prédécesseur soit repeint et ses sanitaires remis en état, il avait vécu quinze jours à la Résidence dos Camaroes, l'établissement du vieux Béliot. Aucun autre client n'y séjournait et Aurel avait l'hôtel pour lui tout seul.

Il s'y était finalement trouvé très bien. La fraîcheur du jardin, son calme, ses couleurs délicates l'avaient favorablement disposé à l'égard du pays. Pourtant, quand on l'avait affecté au Mozambique, Aurel Timescu s'était désolé de devoir retourner en Afrique. Ce continent, au vu de ses expériences précédentes, était synonyme de bruit, de chaleur et de poussière. À partir du jardin de l'hôtel, il se risqua au-dehors et découvrit un climat plus tempéré qu'il ne l'avait craint, même si le soleil brillait encore trop à son goût. Il régnait au Mozambique une manière d'éternel printemps qui n'avait certes pas le charme des automnes de la Mitteleuropa mais qui était moins insupportable que les touffeurs sahéliennes.

L'autre raison qui lui avait fait apprécier la Résidence dos Camaroes était l'absence du patron pendant presque tout son séjour. Béliot avait été hospitalisé la veille de l'arrivée d'Aurel pour une des nombreuses maladies qui le frappaient depuis des années sans jamais l'abattre. Il était revenu en convalescence deux jours avant son départ mais n'avait pas quitté sa chambre. De l'homme qu'on venait de trouver au fond de sa piscine Aurel n'avait aperçu furtivement qu'une silhouette décharnée, tassée sur un fauteuil roulant. Il avait assisté depuis le jardin au retour du monarque de l'hôpital et à son coucher. Sa femme française était apparue pour la circonstance, accompagnée d'une jeune

Africaine. Un peu plus tard, alors qu'elles étaient parties on ne savait où, une Mozambicaine d'une cinquantaine d'années couverte de bijoux, en grand boubou, les nattes soigneusement tressées sur la tête, avait rendu une brève visite au malade. Et pendant toute la journée, le ballet des serveuses mamelues n'avait pas cessé. Aurel observait tout cela du coin de l'œil. Il entendait de loin en loin les éclats de voix du vieux Béliot et mesurait l'effet de ces coups de gueule sur le gynécée qui l'environnait.

Il était moins question que jamais pour lui, dans ces conditions, d'espérer obtenir son verre de blanc ou toute autre commande : le personnel, mobilisé pour le patron, l'ignorait superbement. Cette ambiance lui rappelait un peu sa Roumanie natale : l'étouffant patriarcat dans les campagnes et, à l'échelon suprême, la dictature autoritaire du « père de la Nation », le « Guide », dont tous les apparatchiks s'efforçaient, jusqu'au plus bas niveau, d'imiter les manières impérieuses et d'assouvir les augustes caprices.

La contrepartie positive de l'indifférence dont Aurel était victime en tant que seul et unique client avait un avantage : il pouvait faire ce qu'il voulait. Personne, pour une fois, ne prêtait attention à lui. Il sortait vêtu de son grand pardessus en tweed malgré la chaleur moite du printemps austral. Ses costumes européens démodés, ses nœuds papillon chiffonnés, les partitions qu'il griffonnait en fredonnant au bord de la piscine ne provoquaient aucun étonnement de la part du personnel. La maisonnée tournait entièrement autour de Béliot quand il était là et elle ne tournait pas quand il était absent. C'était une cour ou un désert.

Aurel s'était organisé pendant ce séjour une petite vie bien à lui. Il se rendait au consulat en taxi et prenait prétexte du fait qu'il n'était pas encore installé pour n'accepter aucune responsabilité. C'était sa technique dans chaque poste où il arrivait : démoraliser immédiatement ses supérieurs et leur faire comprendre qu'il n'y avait rien à tirer de lui. Sa carrière déjà longue lui évitait d'avoir à expliquer cela longtemps : il était précédé par sa réputation.

Son séjour à l'hôtel dos Camaroes avait pris fin six mois avant que l'on découvre Béliot au fond de sa piscine. Aurel avait toujours eu le vague regret de ne pas l'avoir mieux connu. Ce sentiment ne le tourmentait guère mais il prit une soudaine actualité quand il apprit par le Consul général, son chef, la mort du vieil hôtelier et surtout l'arrestation de sa femme française.

*

Aurel Timescu traînait un dossier catastrophique qui faisait de lui un casse-tête pour la direction des Ressources humaines. Entré tard au Quai d'Orsay et par un concours subalterne, il aurait pu s'élever dans les échelons en travaillant très dur et surtout en redoublant d'obséquiosité. Il en était incapable. À plus de cinquante ans, il n'obtenait donc que des affectations de début de carrière dans des endroits dont personne ne voulait. Agent impossible à licencier car titulaire, il était nommé dans des postes censés le décourager. Aurel n'avait cependant aucune intention de quitter la carrière. C'était plutôt ceux qui devaient le supporter dans leur équipe qui connaissaient d'intenses périodes de dépression : son affectation quelque part équivalait à une sanction infligée au poste qu'il rejoignait.

Les diplomates chevronnés savaient éviter ce piège. La seule chance qu'avaient les Ressources humaines de le caser quelque part était de le noyer dans un train de nominations anonymes comme on en affecte aux très grandes ambassades ou, au contraire, de le fourguer subrepticement à un jeunot. C'est ce qui s'était produit au Mozambique. Didier Mortereau, le nouveau supérieur hiérarchique d'Aurel, était un jeune

Consul général fraîchement diplômé, trop novice dans le métier pour avoir entendu parler d'Aurel Timescu. Il eut l'imprudence d'accepter la nomination de ce petit adjoint d'origine roumaine, dont la dégaine évoquait autant l'Empire austro-hongrois que l'univers soviétique, qui écrivait des opéras et jouait le soir sur son vieux piano des airs de café-concert.

La première fois qu'il rencontra Mortereau, Aurel eut l'impression que tout allait se dérouler sans problème, conformément à ses vœux. Ce blanc-bec n'était pas de taille à résister à quelqu'un d'aussi déterminé à ne rien faire. Il avait déjà eu la peau de supérieurs autrement plus coriaces... Il devait, hélas, se rendre compte assez vite qu'il se trompait.

Le drame avec les jeunes, c'est qu'ils croient en l'humanité. Mortereau plus qu'aucun autre de son âge. Éduqué par des parents enseignants à Sens, le jeune Didier avait tété dès sa naissance le lait doucereux d'un marxisme tempéré d'humanisme. Il était profondément influencé par Rousseau, auteur auquel il avait consacré son mémoire de lettres modernes. Quand il prit connaissance, trop tard pour le récuser, du dossier d'Aurel, Mortereau mit la carrière chaotique du pauvre réfugié roumain sur le compte de la méchanceté humaine. Il saurait bien, lui, redonner confiance à ce déraciné, probablement blessé par la vie, et en tirer le meilleur. Il prit la décision de le sauver.

Quand le Consul général tint ce discours à Aurel, celui-ci poussa des cris de reconnaissance et parut sur le point de baiser les mains de son chef. Mais en lui-même, il s'inquiéta beaucoup : décourager ce jeune idéaliste allait requérir une grande patience et il faudrait supporter sans s'apitoyer des scènes bien désagréables.

Aurel s'appliqua pendant six mois à ensabler tous les dossiers que Mortereau lui confiait. C'était un rigoureux travail de procéder à un sabotage aussi méthodique, en faisant toujours peser la faute sur quelqu'un d'autre et en évitant de prêter le flanc à une éventuelle mesure disciplinaire. Mais Aurel savait que sa tranquillité future était à ce prix.

Hélas, aucun échec ne semblait décourager Mortereau. Son indulgence était sans limites. Après chaque catastrophe, Aurel pensait que le compte était bon et que le chef de la section consulaire avait compris. Il s'attendait à une colère, à des menaces voire à des sanctions, toutes choses qui glissaient sur sa chemise amidonnée depuis des années mais qui auraient consommé la rupture. Rien ! Mortereau, patiemment, trouvait des excuses à son malheureux adjoint et lui donnait une nouvelle chance.

Six mois de ce régime : c'était intenable. C'est alors que survint la mort de Béliot.

Aurel ne se doutait de rien ce jour-là, en entrant au consulat. Il avait bu toute la nuit en regardant une série de films roumains que lui avait envoyés sa sœur par la valise diplomatique.

Mortereau l'avait fait chercher dès son arrivée. Aurel espérait que c'était pour le clouer au pilori à propos de sa dernière provocation : il avait volontairement semé la confusion dans un dossier sensible de regroupement familial. Le cousin du ministre de la Justice, qui habitait en France, avait vu arriver à Roissy de soi-disant parents qui étaient en réalité des homonymes. Mais ce n'était pas de cela qu'il s'agissait.

— Dites-moi, Aurel, vous avez sûrement connu Béliot, l'hôtelier de la Résidence dos Camaroes ?

— Connu, c'est beaucoup dire…

— Vous avez habité chez lui en arrivant ou je me trompe ?

— J'y ai passé quinze jours, en effet. Mais il était malade.

— Eh bien, maintenant, il est mort.

— Ça ne m'étonne guère. Il était en très mauvaise santé. Comme disent les Français, il avait brûlé la chandelle par les deux bouts.

— Ce ne sont pas ses maladies qui l'ont tué.

— Quoi, alors ?

— Il a été assassiné. On l'a trouvé au petit matin noyé dans sa piscine.

— Il a pu tomber dedans…

— C'est ce qu'on a pensé d'abord. Mais c'est impossible.

— Pourquoi ?

— Il avait des traces de liens autour des poignets et plusieurs ecchymoses autour du cou. On a même trouvé des brûlures sous ses pieds. Comme s'il avait été torturé.

Aurel était très étonné.

— Quand est-ce que cela s'est produit ?

— Il y a deux jours, apparemment. On n'en a rien su. Le consulat n'a été prévenu que quand les Mozambicains ont arrêté sa femme.

— Sa femme ? Laquelle ?

— La Française. C'est aussi la mère de deux de ses enfants. Vous la connaissez ?

— De vue. Elle habitait à l'hôtel mais j'ai l'impression qu'elle n'avait pas le droit de sortir. Un jour, elle s'est approchée de moi pendant que je buvais mon café. Elle a commencé à parler de choses et d'autres. Elle m'a demandé si j'aimais l'Afrique et j'ai bien été obligé de lui dire que non.

— C'est imprudent, Aurel. Vous êtes Consul, tout de même.

— C'est peut-être imprudent mais c'est sincère. Je ne supporte pas la chaleur. Sinon, je n'ai rien contre les Africains…

— Bref !

— En tout cas, ça n'a pas eu l'air de la choquer.

— Qu'est-ce qu'elle vous a dit d'autre ?

— J'ai l'impression qu'elle avait très envie de parler. Mais je la voyais guetter la porte de l'office. À un moment, une serveuse a passé la tête et nous a vus. Alors, « Madame Béliot », je ne sais pas trop comment l'appeler, a pris congé précipitamment.

Mortereau réfléchissait. Il avait vraiment l'air d'un gamin. De grands yeux naïfs, un visage poupin, de bonnes joues, rouges comme si la maîtresse d'école venait de lui administrer une paire de claques. Il devait vaguement s'en rendre compte car il s'efforçait de prendre des airs importants.

— Quoi qu'il en soit, maintenant, elle est en prison. En tant que ressortissante française, elle a droit à une protection consulaire. Il faut lui rendre officiellement visite.

Aurel, d'un seul coup, pensa à tous les actes de sabotage qu'il avait commis ces dernières semaines et se mit à espérer que la miséricorde de Mortereau ne l'avait pas tout à fait abandonné. Car cette tâche-là, il était impatient de l'accomplir. Un meurtre, une énigme, une affaire embrouillée qui se terminait dans le sang, c'était tout ce qui pouvait encore le passionner dans la vie. Surtout si flottait, comme dans le cas présent, un lourd parfum de doute et d'injustice… Pour rien au monde il n'aurait voulu manquer cette mission.

— Je connais le directeur de la prison, dit-il précipitamment.

Il regretta tout de suite son mensonge car il comprit qu'il était inutile.

— C'est encore mieux. Je voulais justement vous demander d'aller rendre visite à cette femme dès que possible.

— Aujourd'hui même, s'écria Aurel en sautant sur ses pieds. Tout de suite, à l'instant ! J'y vais ! J'y cours ! J'y suis !

Il boutonna son costume croisé d'un air digne et se précipita vers la porte.

Le jeune Mortereau se gratta la tête. Devait-il craindre un nouveau sabotage ou se pouvait-il que sa foi en l'humanité se trouvât enfin justifiée ? L'espoir prévalut et il sourit.

II

La prison de Maputo n'est pas très éloignée de l'ambassade de France et Aurel décida de s'y rendre à pied. Il avait essayé d'appeler le standard pour signaler son arrivée mais le numéro était en dérangement. Avec sa carte diplomatique, il espérait que les portes s'ouvriraient.

Aurel avait été heureusement surpris en arrivant à Maputo par l'agrément de la ville. Il gardait de l'Afrique des souvenirs de villes chaotiques et poussiéreuses dans lesquelles il était pratiquement impossible de se déplacer autrement qu'en voiture. Or dans la capitale mozambicaine où sont situés l'ambassade de France et la plupart des bâtiments officiels, les Portugais ont tracé de larges avenues. Elles sont bordées de vrais trottoirs plantés d'arbres et pavés de calades noires et blanches où l'on a plaisir à marcher.

Depuis la fin de l'expérience communiste, le pays est devenu prospère. Le voisinage de l'Afrique du Sud fait du pays une villégiature idéale pour les habitants riches de Johannesburg. On voit désormais rouler dans les rues de grosses voitures japonaises et allemandes aux vitres fumées. Beaucoup d'immeubles ont été restaurés et d'autres se construisent un peu partout. Le long de la mer, la « Marginale » déroule sa longue perspective de jardins luxueux et de villas cossues. Pour Aurel, qui aimait se promener dans les villes, cette capitale offrait d'agréables parcours et il effectuait la plupart de ses déplacements à pied. Le seul détail qui le gênait était le nom des rues. Elles avaient été rebaptisées après l'Indépendance en hommage aux grandes figures du communisme. De Karl Marx à Ho Chi Minh, en passant par Lénine, Engels et Lumumba, ils y étaient tous. Le seul qu'Aurel redoutait de rencontrer sur son chemin était Ceausescu mais apparemment, à Maputo, le « Génie des Carpates » n'avait pas même eu l'honneur d'une impasse.

La foule qui circulait sur les trottoirs était assez flegmatique et si quelqu'un remarquait l'accoutrement d'Aurel, personne ne le lui faisait sentir, sauf les enfants, comme partout. Plusieurs le suivaient en riant et en faisant des grimaces.

Mais ce jour-là, quand les gamins le virent se diriger vers le portail en fer de la maison d'arrêt, ils reculèrent et observèrent la scène avec crainte. La prison centrale de Maputo traînait une mauvaise réputation. Il est rare que les prisons en aient une bonne mais celle-ci était particulièrement sinistre. Elle avait été le théâtre de trop de détentions arbitraires et de disparitions suspectes, à la période coloniale comme pendant la dictature marxisante qui avait suivi, pour ne pas susciter une sourde terreur. Rénovée une dizaine d'années auparavant, elle était désormais moins vétuste mais tout aussi redoutable.

Dans la zone qu'on appelait « les droits communs » grouillait une foule de coupeurs de routes et de délinquants de tous ordres. Une noria de familles apportait la nourriture. Des odeurs de poisson grillé et de lessive flottaient autour des bâtiments. Avec cet art typiquement africain de transformer tout lieu public, hôpital, caserne, prison en village de brousse, ces quartiers pénitentiaires, essentiellement peuplés de jeunes Noirs, répandaient une étonnante joie de vivre. Cette gaieté rappelait à Aurel sa propre jeunesse : il avait fait plusieurs séjours en prison à Bucarest dans son adolescence, à cause de propos imprudents à l'égard du régime. Dans la grisaille des geôles communistes, il avait découvert un peu de cette même joie de vivre. Tout était différent en apparence : la température, le décor, les austères gardes-chiourme de Ceausescu… Pourtant, il y avait une atmosphère assez semblable. Les détenus ne ressentaient aucune culpabilité puisqu'il était évident pour tous que c'était le système qui était coupable et non pas eux. Une fraternité rigolarde donnait à chacun le sentiment que les autres faisaient bloc pour le défendre. La passivité alanguie qui régnait n'était au fond que le reflet de toute une société, infantilisée par un État policier et qui se laissait vivre sans faire le moindre effort pour le bien commun.

À la prison de Maputo, un autre quartier était réservé aux personnalités sous le nom de « Maison Blanche ». Le terme s'appliquait assez bien puisque cette section était principalement occupée par des étrangers, en grande partie des Blancs. L'ambiance y était plus lourde. Si le confort était supérieur, on sentait néanmoins qu'il était sans doute plus pénible d'y séjourner que chez les « droit commun ».

Aurel avait déjà eu l'occasion de se rendre deux fois à la prison, pour des visites consulaires à un autre prisonnier français. C'était un homme d'une soixantaine d'années, condamné pour une sombre histoire d'escroquerie et de trafic de diamants. Aurel y était allé en traînant les pieds. Il avait mis si peu de zèle à transmettre la correspondance dont le prisonnier l'avait chargé que celui-ci s'était plaint auprès de l'ambassade et avait demandé à être suivi par quelqu'un d'autre.

L'avantage d'être déjà venu était que les gardiens se souvenaient d'Aurel. Ils lui ouvrirent la grille sans difficultés. La paire qui était de garde ce jour-là était composée d'un homme du Sud, très petit, au visage fripé, et d'un grand Noir originaire de Beira, avec lequel il avait longuement parlé les fois précédentes. Cet Isidore avait un problème de visa Schengen pour son fils et Aurel avait vaguement promis de l'aider. Isidore devait s'en souvenir car il mit beaucoup d'empressement à installer le Consul adjoint dans une pièce qui servait de parloir. Il y régnait une odeur de terre humide. L'enduit bleu sur les murs était étalé sur un torchis de latérite qui se décollait par plaques. Il était constellé de graffitis à hauteur d'homme. L'ameublement se résumait à deux chaises en tubes. Aurel resta debout jusqu'à l'arrivée de la prisonnière. Isidore en profita pour lui faire des amabilités.

— C'est une chance que vous me trouviez, monsieur le Consul, vous savez.

— Ah bon, pourquoi ?

— À partir de demain, je vais travailler de nuit.

Aurel n'avait pas tellement envie de s'intéresser aux horaires du maton. Mais il était incapable de se montrer désagréable avec quelqu'un qui lui parlait en montrant tant de respect.

— C'est vous qui avez choisi ?

— Jamais de la vie ! Ça ne me plaît même pas du tout de faire la nuit. Le plus souvent on est tout seul. Le temps paraît long. Tandis que dans la journée on travaille par équipes de deux. On a un collègue pour bavarder.

Le collègue, justement, revenait avec la prisonnière. Il l'introduisit dans la pièce sans beaucoup d'égards et lui ôta ses menottes. Puis les deux gardiens sortirent et attendirent dehors.

Aurel avait conservé de Mme Béliot le souvenir d'une femme sportive, aux cheveux coupés court et aux grands yeux bleus. Quand il la voyait traverser le jardin de l'hôtel, elle était généralement vêtue de robes en toile de couleurs claires, assez courtes, et portait sur l'épaule un sac de sport ou une raquette de tennis. Elle prenait de longs bains de soleil au fond du jardin et Aurel évitait soigneusement de jeter sur elle des regards indiscrets. Il s'était pourtant demandé si elle ne se plaçait pas justement là, face à la fenêtre de sa chambre, pour attirer son attention. Cette idée l'avait rempli de terreur et il avait redoublé de discrétion.

La femme qu'il vit paraître dans le parloir était bien différente de celle dont il croyait se rappeler. C'était la même personne, pourtant, mais elle avait les cheveux sales et en désordre ; son visage était affaissé, creusé de rides profondes. Le manque de soins et de sommeil y était pour beaucoup mais aussi les pleurs qui avaient dessiné des cernes sombres sous ses yeux, boursouflé ses paupières et laissé des traces de sel sur ses joues.

Sitôt qu'elle vit Aurel, elle poussa un cri étouffé et se jeta dans ses bras. Il était affreusement gêné. Elle se serra contre le tweed rêche de son manteau comme si elle y avait cherché la protection d'une cuirasse.

— Sortez-moi d'ici, monsieur le Consul. S'il vous plaît.

Elle agrippait le col du pardessus d'Aurel de ses mains nerveuses et l'attirait à elle. Il sentait ses cheveux lui caresser le menton. Terriblement mal à l'aise, il jetait des coups d'œil désespérés vers la porte et apercevait, par le carreau, les gardiens qui l'observaient. Isidore avait l'air un peu embarrassé mais le petit maton fit à Aurel un signe du pouce comme pour l'encourager.

Cette vulgarité le révulsa et le conduisit à réagir. Il saisit les épaules de la femme qui continuait à sangloter, l'écarta de lui et la secoua avec autant d'énergie qu'il le put.

— Calmez-vous, madame. Je suis ici en tant que représentant de la France.

Il avait toujours du mal à prononcer ce genre de phrases car son accent roumain lui blessait les oreilles et il se sentait tout à fait illégitime.

— Je suis ici pour vous aider, rectifia-t-il. Je vais faire tout ce que je peux pour vous tirer d'affaire. J'en prends l'engagement.

Elle le regarda à travers ses larmes.

— Vous le jurez ?

Il y avait de l'angoisse dans cette question mais aussi une pointe de séduction.

— Je le jure.

Un instant, Aurel crut qu'elle allait prendre sa bouche tant son visage était près du sien, les lèvres entrouvertes. Pour prévenir un tel incident, il se tourna vivement, de façon à se placer à côté d'elle. En serrant son bras gauche, il la conduisit jusqu'à la chaise.

— Maintenant, asseyez-vous et expliquez-moi.

— Je ne l'ai pas tué, dit-elle, en se laissant guider.

Et, comme si cette pensée avait soudain rallumé une rage qui ne l'avait sans doute pas quittée depuis son arrestation, elle se remit debout et hurla en direction des gardes dont la tête était toujours collée à la lucarne.

— Vous entendez, vous autres ? Je ne l'ai pas tué. C'est cette garce qui m'a dénoncée. Elle connaît l'ancien chef de la police. Ils sont du même village et elle a sûrement couché avec lui.

— Je ne comprends rien. De qui me parlez-vous ?

— De sa femme.

— Mais, vous *êtes* sa femme…

— L'autre.

Sous l'effet de la colère, les traits de la prisonnière s'étaient soudain durcis. Ses yeux s'agrandissaient, elle se redressait. Aurel se dit que l'indignation lui allait bien. Elle donnait à son visage quelque chose d'ardent, de juvénile dont le chagrin l'avait privée et qu'il n'avait pas perçu non plus quand il l'avait croisée à l'hôtel.

— Calmez-vous. Essayez de m'expliquer les choses dans l'ordre.

Il lui avait touché la main et elle parut s'apercevoir à nouveau de sa présence. Elle se rassit. Son visage s'éteignit.

— Il faudrait que je commence très loin…

— Nous avons un peu de temps.

Elle s'essuya les yeux du dos de la main et commença son récit d'une voix monocorde, en regardant le sol.

— Roger et moi, nous nous sommes mariés il y a trente-deux ans. Vous vous rendez compte ? Le 1er juillet 1982…

Aurel essaya de déduire quel âge elle pouvait bien avoir et il fut surpris.

— J'avais vingt ans, précisa-t-elle, comme si elle devinait sa pensée.

— Et lui ?

— Trente-neuf, répondit-elle, puis elle resta songeuse.

— C'était son premier mariage ?

— Ça paraît curieux, n'est-ce pas ? Pourtant oui, il n'avait jamais épousé personne. Il avait eu quantité de femmes. Enfin, je crois. C'est la réputation qu'il avait. Et j'étais d'autant plus fière qu'il m'épouse.

L'évocation de ce temps lointain l'avait calmée. Elle souriait, l'air rêveur. Des images du passé devaient lui revenir et elle plongeait dans ce bonheur révolu comme dans un bain apaisant.

— Il était beau en ce temps-là, vous savez ? Grand, solide, sportif. Il y avait quelque chose de dur dans son regard parfois, et c'était terriblement excitant de sentir que derrière ses gestes lents, derrière sa douceur apparente, il y avait une volonté, presque une violence.

— Violence contre qui ? coupa Aurel que ces confidences de femme mettaient mal à l'aise et qui voulait se rassurer avec des détails concrets.

— Je parle de sa violence en affaires. Avec les Africains aussi, mais ça, je ne l'ai su qu'après. Il faut dire qu'on s'est connus en Europe.

— Où travaillait-il à l'époque ?

— En Afrique du Nord. Mais une fois par an, il rendait visite à des parents près de Beaune.

— C'est là que vous vous êtes rencontrés ?

Elle ignora la question et regarda dans le vague.

— Ma famille porte un nom illustre, voyez-vous, confia-t-elle rêveusement.

Aurel était parti si précipitamment qu'il n'avait même pas eu le temps de consulter le dossier consulaire que lui avait remis Mortereau.

— Je suis une Pernand-Vergelesses. Mon nom de jeune fille est Françoise Pernand-Vergelesses.

Pour Aurel, l'information principale était ce prénom par lequel elle lui devenait familière. « Françoise », se répéta-t-il intérieurement, mais il ne fit aucun commentaire à ce propos et s'en tint au patronyme.

— C'est le nom d'un grand cru de Bourgogne, n'est-ce pas ?

— Vous avez raison. Malheureusement, mes arrière-grands-parents ont vendu la propriété de famille. Nous n'avons plus ni château ni vignes. Seulement le nom et des souvenirs. J'ai une cousine d'une branche cadette qui, elle, a fait un beau mariage avec un vigneron très riche mais dont le patronyme est tout ce qu'il y a de plus bourgeois. L'été, elle invitait ses cousins désargentés et notre nom redonnait un peu de lustre à la propriété. Roger était un ami de son mari. Je l'ai rencontré chez eux. Trois mois plus tard nous étions mariés.

— Par amour ?

— J'étais enceinte si c'est cela que vous voulez savoir. Mais, en effet, j'étais enceinte par amour. Et c'était une passion partagée, j'en ai la certitude.

Aurel opina poliment.

— Ensuite ?

— Ensuite, j'ai accouché en France de ma fille et je suis allée rejoindre Roger au Niger avec le bébé. Il construisait le grand stade de Niamey. On avait une jolie maison, juste sur le fleuve, et pour la première fois de ma vie j'avais du personnel. Une nounou qui s'appelait Jacqueline, je m'en souviens bien…

Elle avait visiblement envie de se plonger dans ces souvenirs heureux. Aurel, qui voyait les gardiens bâiller derrière la porte, craignait qu'ils ne mettent fin à l'entretien pour aller servir la soupe.

— Tâchez de résumer un peu, s'il vous plaît. Nous en reparlerons une autre fois. Il faut en arriver à ce qui se passe aujourd'hui.

— Vous avez raison, trancha-t-elle.

Elle regarda autour d'elle et une lueur mauvaise se ralluma dans son œil.

— Il faut que je sorte d'ici.

— Donnez-moi seulement quelques repères. Vous avez eu d'autres enfants ? Vous avez suivi votre mari partout ?

— Nous en avons eu deux. Ma fille est l'aînée. Trois ans plus tard est venu Tristan, notre garçon. Ils ont trente-deux et vingt-neuf ans, maintenant. Ils sont en Europe. Ma fille, Aude, est mariée et vit à Londres. Mon fils travaille en banlieue parisienne.

— Ils étaient proches de leur père ?

— Il ne les a pas élevés.

Aurel marqua son étonnement.

— Puisque je dois faire court, je vous dirai que les choses se sont envenimées très vite, dès la naissance de Tristan. Nous étions au Tchad à ce moment-là. C'était la vie rêvée, en apparence.

Roger était le numéro deux d'un grand groupe de BTP. Un vrai seigneur, sur place. Il traitait avec des ministres, des grands banquiers.

— Qu'est-ce qui n'allait pas ? Il était infidèle ?

Aurel se devait d'en venir au fait mais il avait posé cette question en rougissant. L'amour était pour lui un domaine idéal auquel il était presque sacrilège de mêler le sexe. Tout de même, s'agissant de Béliot, il se doutait bien qu'on en arriverait là.

— Roger n'a jamais couru après les femmes. Mais il les attirait et, finalement, il leur cédait. Elles n'étaient pour lui qu'un attribut de sa puissance. Et la puissance, c'était son truc. À un point que je ne pouvais pas imaginer.

— Comment cela se manifestait-il ?

Françoise avait posé les mains sur ses genoux. Elle baissa les yeux sur elles et Aurel les regarda aussi. C'étaient des mains carrées, très soignées. Les bagues qu'on avait dû lui retirer à l'entrée laissaient des traces blanches sur le bronzage. Il y avait quelque chose d'impudique dans ces mains. Elles révélaient une sensualité, une coquetterie, une avidité charnelle et, en même temps, elles semblaient porter la trace de travaux de force. La vie avait contrarié leur vocation et leur avait fait subir des outrages cruels.

Aurel se troubla quand il releva les yeux et croisa le regard de Françoise, comme s'il avait été le témoin indiscret d'une scène gênante.

— Mais je vous le répète : l'obsession de Roger, c'était la puissance. Il voulait tout en grand. Quand il conduisait ses travaux, il fallait le voir donner des ordres à des armées de types en short qui couraient partout. Il aimait les norias de camions, les grues en plein désert, les grands trains de béton. Je pense qu'il se voyait comme une sorte de pharaon. Si les hommes avaient été écrasés sous leur charge, si on avait entendu des coups de fouet claquer sur leurs épaules d'esclaves, s'il avait fallu bâtir tout cela au prix du sang, eh bien... il l'aurait fait avec plus de joie encore. Pourtant, tout ça, c'était le bon côté, celui qui m'a plu d'abord.

— Il y en avait un autre ?

— Non, justement. C'était cela pour tout. Quand il rentrait à la maison, il continuait à donner des ordres, à recevoir des hommes politiques, à tenir des réunions à toute heure. Nous n'avions aucune intimité, aucune vie privée.

— Vous n'avez pas essayé de lui parler ?

— Nous parlions, bien sûr. Je lui disais que ça n'allait pas, mais il ne voyait pas comment il pouvait changer. Il y avait une ambition profonde en lui et il poursuivait son rêve.

— Mais il avait réussi ?

— Il réussissait mais ça ne lui suffisait jamais, alors il finissait chaque fois par faire quelque chose de stupide et il gâchait tout.

— Vous voulez dire qu'il se faisait mettre à la porte ?

— C'est difficile à expliquer. De toute façon, cela n'a pas d'importance. Je n'étais pas bien avec lui, voilà tout. Restons-en à ça. Et finalement, je l'ai quitté au bout de cinq ans de mariage.

— Quitté ? Vous voulez dire que vous êtes rentrée en France ?

— Oui. Avec les enfants.

— Comment a-t-il pris cela ?

— Il a été très compréhensif.

— Il vous a soutenue financièrement ?

— Plus ou moins. Il prétextait souvent que sa situation n'était pas confortable. C'était difficile à vérifier. J'étais loin, et puis c'est moi qui étais partie. J'avais tous les torts. Le fait est que j'ai dû me débrouiller seule. À certains moments, j'ai bien cru que je n'y arriverais pas…

Aurel réfléchissait. Il fallait évidemment se méfier des confidences de quelqu'un qui avait intérêt à l'apitoyer. L'histoire de cette femme avec Béliot ne paraissait ni claire ni complète.

Mais sur un point au moins, il la croyait : elle ne vivait plus avec lui depuis plus de vingt ans.

— Mais si vous êtes rentrée en France depuis toutes ces années…

— Pourquoi suis-je ici aujourd'hui, c'est bien cela que vous allez me demander ?

— Oui.

— À vrai dire, je suis arrivée à la Résidence dos Camaroes il y a à peine six mois. Quelques jours avant vous en somme.

Elle sourit en lisant l'étonnement sur le visage d'Aurel.

— Et, puisque vous allez me poser la question, je préfère vous l'avouer tout de suite : j'étais venue pour me battre avec lui.

III

Aurel regrettait d'avoir laissé filer le temps. Une sonnerie étouffée vibrait comme une mouche dans les corridors de la prison et les gardiens s'agitaient. Il n'avait plus que quelques minutes pour interroger la détenue.

— Nous allons être interrompus. J'essaierai de revenir demain. Vous ne m'avez pas encore parlé de la nuit où Béliot a été assassiné. Pourquoi vous accuse-t-on ? Dites-m'en le plus possible.

Françoise se redressa et jeta un regard noir vers la porte.

— Ils ne vont pas vous interdire de me parler tout de même ! J'ai droit à la protection consulaire.

Un instant, elle avait changé de visage. Plus de grâce dans ses traits, plus de fatigue non plus ; seulement l'énergie de quelqu'un qui est habitué à défendre sa peau, à se battre pied à pied pour de minuscules acquis. Aurel la trouvait admirable dans ce rôle, mais effrayante aussi, capable de tout. L'idée qu'elle pût être coupable, qui lui paraissait si incongrue un instant plus tôt devant une femme vulnérable et brisée, n'était soudain plus tout à fait extravagante.

— Les gardiens ont des horaires de service, insinua-t-il doucement. Et ils s'imposent aussi aux diplomates…

Elle se tourna vers lui, reprit son sourire modeste et son attitude accablée comme si elle avait précipitamment caché l'arme qu'elle avait laissé entrevoir.

— Avant d'en venir à la nuit du crime, il faut que j'en finisse avec notre situation, pour que ce soit clair.

— Il me semble que j'ai compris : vous étiez divorcés.

— Non, justement. Pas entièrement.

— Qu'est-ce que cela signifie ? La procédure était encore en cours ?

— Disons qu'après dix ans de séparation j'ai obtenu le divorce en France. Mon mari ne répondait à aucune des convocations judiciaires. Il faisait traîner les choses. Ça l'arrangeait, je crois, d'avoir une femme légitime quelque part. Il était protégé contre toutes celles qui voulaient lui passer la corde au cou. Bref, le jugement a été prononcé par défaut. J'ai eu la garde des enfants, bien sûr.

— Ils ne voyaient pas leur père ?

— Ils ont demandé à le rencontrer à dix-huit ans. Mais ils n'avaient rien à se dire. Ensuite, ils se sont passés de lui. Là n'est pas l'essentiel.

Aurel fit un signe pour dire : nous verrons. Françoise poursuivit, en parlant plus vite.

— Le divorce a réglé les questions patrimoniales *en France*. Mais quand Roger a acheté ce terrain à Maputo et aménagé dessus la première maison, nous étions toujours mariés.

— Ce bien a donc été partagé au moment du divorce ?

— Non, justement. Ou plutôt, seulement pour la loi française qui a considéré qu'il était la propriété de mon mari. Pour la loi mozambicaine, il est toujours en indivision.

— Vous en êtes sûre ?

— Longtemps, je n'y ai pas pensé, poursuivit-elle en ignorant la question. J'avais d'autres priorités : je luttais pour survivre. Mais il y a cinq ans, j'ai touché le fond. D'abord, un sérieux problème de santé : cancer du sein, opération, chimio, etc. J'avais un travail précaire de représentante en produits pharmaceutiques. Une fois malade, je ne touchais plus aucun revenu. À ça s'est ajouté un accident de voiture alors que j'étais mal assurée. Les enfants étaient étudiants et avaient de gros besoins d'argent. Pour ne rien arranger, des squatters se sont incrustés dans un petit studio que je payais en le louant. Bref, la dèche totale. Je ne sais pas si vous savez ce que c'est ?

Elle avait dit cela machinalement. Mais en levant les yeux vers Aurel et en voyant son visage creusé de rides, sa calvitie, son regard de chien battu, elle regretta d'avoir posé cette question.

— Bref ! Tout ça se passait l'automne dernier. J'ai pensé à écrire à Roger pour lui demander de l'aide. Je dois reconnaître qu'il m'avait souvent dépannée dans le passé. Mais, cette fois, ce n'était pas d'un secours ponctuel que j'avais besoin. Il me fallait beaucoup plus et je savais qu'il n'accepterait jamais. J'ai tourné ça dans ma tête pendant des semaines. J'ai fait des recherches sur Internet. J'ai vu qu'il avait construit un hôtel sur le terrain. Et là, j'ai eu une idée. Je me suis dit qu'il y avait peut-être moyen de corriger toute cette injustice de la vie, vous comprenez ? J'ai consulté un avocat.

— Français ?

— D'abord. Mais ensuite, il m'a orientée vers un confrère ici, à Maputo. Je l'ai appelé. Il a regardé l'affaire de près. Sa conclusion est formelle : la moitié du bien est toujours à moi.

— Le terrain ou l'hôtel ?

— Tout.

Les gardiens avaient ouvert la porte et Isidore s'avançait, l'air navré.

— On a beaucoup attendu, monsieur le Consul. Mais là, vraiment…

— Nous finissons, se précipita Aurel. Laissez-nous seulement deux minutes.

Et à Françoise :

— Comment avez-vous annoncé à votre mari votre intention de le traîner en justice ?

— Je n'ai rien annoncé du tout. J'ai emprunté à une cousine le montant du billet d'avion, un charter pas trop cher. Je suis venue au Mozambique et j'ai débarqué à l'hôtel. Voilà tout.

Le petit gardien avança et lui saisit la main.

— C'est terminé maintenant, madame. On rentre.

— Écoutez, monsieur le Consul, il y a plein de choses que vous devez savoir encore.

Elle criait presque pendant que le gardien la tirait vers la porte.

— Quand elle a su que je faisais un procès, l'autre garce a pris peur. Elle connaît l'ancien chef de la police. Ils ont monté toute cette affaire pour m'éliminer.

Elle tendit la main et parvint à agripper Aurel par la manche.

— Revenez cet après-midi, cria-t-elle. Ne me laissez pas moisir ici. Je ne veux pas retourner dans ce trou puant. Rien que d'y penser, j'en ai la nausée. Vous me jurez de revenir ?

Aurel jura d'autant bien volontiers qu'il en savait tout juste assez pour sentir qu'il y avait derrière ce crime un mystère et peut-être une injustice. Les seules choses au monde qui pussent encore le passionner.

*

Il prit un taxi pour rentrer plus vite à l'ambassade. C'était une R9 dont les portières arrière étaient retenues par des sortes d'élastiques.

Le chauffeur le regardait dans un énorme rétroviseur décoré de guirlandes de houx en plastique. Un autocollant représentant la Sainte Vierge cachait un gros éclat dans le pare-brise.

— Vous n'avez pas chaud, comme ça ?

— Non, fit Aurel avec dignité.

Le chauffeur gloussa. Puis un coup d'œil vers son passager lui fit reprendre son sérieux. Il hocha la tête.

Aurel, l'air mauvais, réfléchissait intensément.

Son grand problème, comme dans tous les postes où il avait été confronté à des situations de ce genre, c'était de faire accepter à ses supérieurs qu'il puisse mener une véritable enquête. D'abord, une telle demande était contradictoire avec le fait qu'il refusait toute autre activité. Il fallait leur faire comprendre que pour résoudre une énigme, et pour cela seulement, il était prêt à se consacrer jour et nuit au travail.

Surtout, on lui objectait qu'il y a des gens dont c'est le métier de conduire des enquêtes : la police locale d'abord, et éventuellement l'assistant de sécurité intérieur affecté à l'ambassade par la police française. Un employé consulaire n'a rien à voir là-dedans. Aurel était généralement obligé de ruser pour continuer ses investigations.

Quand il se fit annoncer chez Mortereau au retour de la prison, il cherchait tous les arguments pour s'assurer sinon son approbation, du moins sa neutralité. Il comptait d'abord lui faire remarquer que dans ce pays lusophone, l'ambassade de France n'était pas aussi étoffée que dans les anciennes colonies françaises. Il n'y avait pas de service de coopération policière à demeure. En enquêtant un peu, il n'empiéterait donc sur les prérogatives de personne.

La suite devait lui montrer qu'il n'avait pas besoin de développer cette argumentation.

À peine entré dans le bureau, Mortereau lui fit raconter sa démarche à la prison. À mesure qu'Aurel décrivait sa rencontre avec Françoise, le visage du Consul général s'illuminait : il n'avait jamais vu son collaborateur comme cela. Aurel, assis sur une pointe de fesse, le buste en avant, s'animait en parlant et faisait de grands gestes avec les mains. Pareil enthousiasme ravissait son jeune supérieur. Celui-ci voyait enfin ses intuitions se révéler justes ! Pour quiconque croit en l'humanité, c'est une bien grande récompense de sauver un personnage aussi unanimement condamné qu'Aurel. Peu importait aux yeux de Mortereau que l'attention de son adjoint ne se portât pas vers les questions purement consulaires. L'essentiel était que quelque chose, enfin, fût susceptible de l'intéresser.

— En somme, vous pensez que cette femme est accusée injustement ?

— Je ne peux pas l'affirmer, monsieur le Consul général. Je dis seulement qu'il y a des zones d'ombre dans cette histoire. Les relations de ce Béliot avec son ex-femme étaient complexes et je ne les comprends pas encore très bien. Je n'ai qu'une certitude : il est trop commode de désigner cette Française comme coupable sans chercher plus loin.

— Que comptez-vous faire ?

— Y retourner.

Mortereau se cala en arrière dans son fauteuil. Derrière lui, une tapisserie noire et blanche, abstraite et à vrai dire assez laide, lui servait d'appui-tête. La trace de ses cheveux moites y était visible, sous la forme peu ragoûtante d'une auréole beige.

— Ça ne sera pas facile, lâcha-t-il. Les constatations consulaires ne prennent pas tant de temps d'ordinaire. Le directeur de la prison risque de trouver cela suspect si vous revenez.

— Je sais. C'est pour cela que je ne compte pas y retourner cet après-midi. Espérons que demain…

Le chef de la section consulaire mordillait son crayon.

— Même demain, votre insistance paraîtra bizarre.

Il consulta sa montre.

— Treize heures trente ! s'écria-t-il en se levant. Il faut que je vous quitte. Ma femme m'attend pour déjeuner.

Il remit sa chemise en place dans son pantalon, ferma son ordinateur portable et fourra son téléphone dans sa poche. Puis, en regardant Aurel, il énonça ce qui était probablement une idée soudaine.

— J'ai rendez-vous en début d'après-midi. Retrouvons-nous ici à dix-sept heures. Nous irons à la prison ensemble. Avec moi, ça paraîtra plus naturel.

*

Aurel était assez désemparé. D'un côté, le soutien de Mortereau lui facilitait la tâche. D'un autre, il lui gâchait un peu son plaisir. Ce qu'il aimait, dans ce genre d'enquêtes clandestines, c'était justement leur côté discret, la dissimulation, la solitude du chasseur. Il se demandait quel effet cela pouvait faire de se retrouver sinon en meute, du moins en compagnie. Cependant, il n'avait pas le choix. Le pire n'était d'ailleurs pas sûr. Il se pouvait que le Consul général, après lui avoir mis le pied plus solidement à l'étrier, se retire et le laisse continuer tranquille. Il avait, après tout, bien d'autres chats à fouetter.

Que faire jusqu'à dix-sept heures ? Il n'arrivait pas à se décider et finalement choisit de rester dans son bureau à pianoter sur son ordinateur en mangeant un sandwich. Pour une fois, il disposait d'un vrai bureau. La plupart du temps, dans ses autres postes, son attitude bizarre et jugée négative entraînait comme seule sanction son enfermement dans un placard. Mortereau n'avait pas voulu recourir à une telle punition. Il lui avait même attribué un assez beau bureau, une pièce très convoitée, vaste, avcc vue sur un grand parking de supermarché. Aurel, sitôt rentré, ferma la porte à clef, retira son manteau, son veston et ses chaussures. Il sortit d'un petit frigo une tablette de chocolat et se mit à la grignoter en regardant sur le parking une famille de Mozambicains pousser un caddie plein.

Il pensait à Françoise, débarquant à Maputo après vingt ans de séparation et s'installant chez son mari pour faire valoir ses droits sur la moitié de ses biens. C'était vraiment une sacrée femme. Béliot n'avait pas l'air commode, mais derrière ses coups de gueule et les insultes qu'il lançait au petit personnel, on pouvait se demander s'il faisait le poids devant elle. D'ailleurs, il l'avait laissée l'envahir. C'était déjà très étonnant.

Aurel chiffonna le papier du chocolat et le lança dans la corbeille. Il s'étira, en se penchant en arrière, les mains croisées sur la nuque. Il avait envie d'un verre de blanc très frais, du

Tokay de Hongrie, si possible. Il avait trop chaud pour que ce fût normal. Il devait être un peu fébrile. Il aurait pu allumer la climatisation mais il ne s'en servait jamais parce qu'en quelques minutes la pièce devenait une glacière. L'Afrique était pour lui synonyme de sinusites permanentes à cause de ces changements incessants de température. Il tira sur les pans de son nœud papillon et laissa retomber les extrémités de chaque côté de son col.

Il s'assoupit un instant et rouvrit soudain les yeux en se redressant.

Bartolomeo !

Il venait d'avoir une idée. Bizarre que Mortereau n'y ait pas pensé. C'est pourtant le Consul général qui avait présenté à Aurel Me Bartolomeo Cavalcanti, peu de temps après son arrivée. C'était l'avocat du consulat, un métis franco-mozambicain. Mortereau ne jurait que par lui et le consultait à tout propos. À soixante ans passés, le juriste, qui avait fait ses études en France, comptait plus de vingt-cinq ans de carrière à Maputo. Il était un peu la mémoire vivante de la capitale.

Aurel décrocha son téléphone et composa le numéro du cabinet. Bartolomeo répondit lui-même. Il avait la bouche pleine et une voix de mauvaise humeur.

— Oui ?

— Maître Bartolomeo ? C'est Aurel Timescu.

Il se fit un silence au cours duquel l'avocat déglutit laborieusement sa bouchée.

— Aurrrel Timechchchku, répéta-t-il en imitant lourdement l'accent roumain. Quel honneurrr !

Me Bartolomeo était un gros homme pompeux qui faisait volontiers étalage de sa culture et de ses relations. Mais si l'on voulait bien passer par-dessus ces défauts finalement légers, il se montrait plein d'humour et cordial. Il avait été marié dix ans avec une Russe qui ne supportait pas le climat et avait fini par le quitter pour rentrer dans ses steppes. Bartolomeo gardait un assez bon souvenir de son mariage et un meilleur encore de sa séparation. Il en conservait une bizarre sympathie pour tout ce qui venait d'Europe de l'Est, mettant dans le même sac la Bulgarie et la Russie, la Roumanie et la Pologne. Aurel, à ses yeux, appartenait à ce vaste ensemble caractérisé par de grandes forêts, des hivers rigoureux et des femmes insupportables.

— Cher, cher Aurel ! Figurez-vous que pas plus tard qu'hier, je parlais justement de vous avec le ministre de la Santé. Il rentre d'un voyage dans votre pays. Enfin, votre ancien pays. Je veux dire la Slovaquie.

— Je suis roumain.

— Peu importe. Vous êtes frrrrançais maintenant ! Ha ! Ha ! Que puis-je faire pour vous ?

— Voilà, maître. Je me demandais… si vous connaissiez Roger Béliot.

Le ton de l'avocat se fit immédiatement plus froid.

— Le malheureux Roger Béliot. Triste, sa mort, n'est-ce pas ? Il faut dire qu'elle colle assez bien au personnage. Que voulez-vous savoir ?

— Nous nous occupons de sa femme, le Consul général et moi-même. En tant que ressortissante française, nous nous devons…

— Française, sa femme ? Mais c'est une Mozambicaine pur jus !

— Je veux dire sa *première* femme.

— Ah oui, c'est vrai. Il y a l'autre. Celle d'avant. Pardonnez-moi mais cela fait si longtemps qu'elle a disparu. Je n'avais pas l'habitude de la compter dans le paysage.

— C'est pourtant elle qu'on accuse.

— Je ne savais pas. J'étais en voyage ces derniers jours, et je suis rentré d'hier.

— Eh bien, elle est en prison. On la soupçonne du meurtre de son ex-mari.

— Tout est possible avec ces gens-là.

— Vous ne semblez pas avoir eu de très bonnes relations avec le défunt…

Bartolomeo but une longue gorgée, sans doute au goulot, et Aurel l'entendit étouffer un renvoi.

— Le défunt. C'est vrai, paix à son âme ! Puisque vous me le demandez, je vous dirai que nous avons été opposés dans une affaire de malfaçon, il y a une dizaine d'années. J'étais l'avocat du maître d'ouvrage et Béliot a perdu. Il ne me l'a jamais pardonné. Mais que voulez-vous savoir, au juste ?

— Des renseignements consulaires, surtout, se hâta de dire Aurel, qui avait senti un peu de méfiance dans la question. D'abord, s'était-il remarié ?

— Je vous l'ai dit, avec cette Mozambicaine. Fatoumata Béliot est la fille d'un chef de tribu du nord du pays. Un homme puissant. Ce sont des musulmans, d'origine tanzanienne. Par les temps qui courent et dans ce pays catholique, c'est important à signaler. Mais ces musulmans-là sont proches du pouvoir.

— Quel âge a-t-elle ?

— Fatoumata ? Une bonne quarantaine d'années. Allez, cinquante, si vous insistez. Mais ne le lui dites pas !

— Elle vit à Maputo ?

— Elle a une maison dans la ville haute, le quartier chic. Mais elle séjourne souvent dans le fief de son père, au nord de la capitale.

— Cela signifie que Béliot et elle ne vivaient pas ensemble ?

L'avocat éternua, se moucha bruyamment et s'excusa un instant pour aller fermer une fenêtre. Il affectait d'être sensible aux courants d'air et tirait gloire d'être souvent enrhumé dans un pays où il fait trente degrés à l'ombre la majeure partie de l'année.

— Il faut que vous sachiez une chose, Aurel. Béliot était un type épouvantable. Je ne sais pas ce que les femmes lui trouvaient. Il y avait sûrement des affaires d'argent derrière tout ça. En tout cas, Fatoumata est restée avec lui le temps qu'il l'épouse et lui fasse un enfant. Ensuite, elle a vécu sa vie et lui aussi, d'ailleurs.

— Ils ont eu un enfant ?

— Un garçon. Il a une quinzaine d'années maintenant. Si vous êtes passé à son hôtel, vous avez dû le voir. Il est rentré de Genève il y a deux mois pour travailler avec son père.

— Il devait reprendre l'hôtel ?

— Sa mère y tenait beaucoup. Elle avait demandé à Béliot de faire une donation de toute la propriété en faveur de son fils. Je le sais parce que le notaire qui l'a rédigée m'avait demandé mon avis sur un point de droit.

— Et où est-elle, cette donation ? Vous pensez que Béliot l'avait remise au garçon ou à sa mère ?

— Cela, je l'ignore. Le notaire ne m'en a pas dit autant.

— Pardon si je vous pousse à violer le secret professionnel mais... avez-vous entendu parler d'un recours de sa première femme pour revendiquer la propriété du terrain sur lequel est construit l'hôtel ?

— Non. Cette affaire n'est pas passée par moi. Je lui aurais dit qu'elle n'avait aucune chance. La justice ici, comment dire ? n'est pas insensible à la qualité des justiciables. Pour une Française, attaquer des Mozambicains, c'est... prendre un gros risque.

— Mais c'est son mari, donc un Français, qu'elle attaquait...

— Sauf qu'il est marié avec une Africaine et qu'ils ont un fils.

— Je comprends.

Aurel comprenait en effet chaque mot et le sens général de ce que lui disait l'avocat. Ce qu'il ne comprenait pas du tout, c'était le rapport que ces faits pouvaient avoir avec le meurtre de Béliot.

— Franchement, maître, pensez-vous que le retour de cette Française et son recours en justice puissent être la cause d'une mise en scène pour la compromettre comme elle le prétend ?

— Je l'ignore absolument. Tout ce que je peux vous dire, c'est que si elle gênait des Mozambicains, ils n'avaient pas besoin de manigancer quelque chose d'aussi tordu pour se débarrasser d'elle.

— À moins qu'ils aient voulu faire d'une pierre deux coups, en éliminant Béliot aussi.

Bartolomeo rit bruyamment.

— C'est chez vous, en Pologne, qu'on joue aux échecs, mon cher Aurel. Les gens d'ici ne sont pas si compliqués.

— En êtes-vous sûr ?

L'avocat réfléchit un long instant.

— Non, vous avez raison. Ils sont compliqués. Mais autrement.

IV

Le coup de fil qu'Aurel avait passé à Me Bartolomeo avait duré moins d'une demi-heure. Il lui restait encore un bon moment à occuper jusqu'au rendez-vous avec le Consul général. Aurel avait envie de musique mais son appartement était trop loin pour faire un aller-retour. Il joua donc une sonate de Chostakovitch à sec, en pianotant sur le rebord de son bureau. C'est avec ce genre d'exercices qu'il avait acquis une réputation de fou dans tous les postes où il était passé. Heureusement, à Maputo, il pouvait s'y livrer dans un bureau bien fermé – merci monsieur le Consul général – sans crainte d'être observé.

Ce n'était pas aussi agréable, sans doute, que de jouer sur le vieux piano droit qu'il traînait partout. Pourtant, le mouvement des doigts sur le bois avait le pouvoir de lui faire entendre les notes. Et, tandis que son vrai piano désaccordé livrait des sonorités de bastringue, les notes qui naissaient dans son esprit étaient pures et justes, aussi riches que si elles avaient été produites par un Steinway de concert. C'était un exercice digne de son grand-père maternel, le rabbin kabbaliste qui proclamait le doigt levé : « La matière est esprit. » Aurel n'avait pas compris le sens de cette phrase jusqu'à ce qu'il découvre ce pouvoir des doigts courant sur le bois et faisant concrètement retentir en lui une mélodie.

Son goût pour les énigmes policières s'expliquait de plusieurs manières. D'abord, il aimait la justice. Aucun combat ne lui semblait plus noble que d'attribuer au vrai coupable la responsabilité de ses actes et, par voie de conséquence, de réhabiliter l'innocent. Dans l'affaire qui l'occupait désormais, il sentait rôder l'injustice. Sans qu'il pût absolument l'affirmer, Aurel avait la conviction que cette femme en prison disait vrai. Quels que fussent sans doute ses nombreux vices, ses fautes et peut-être ses crimes, elle était à ses yeux innocente de ce qu'on lui reprochait, à savoir la mort de Béliot.

À ce point de sa réflexion, il retombait sur la Kabbale, sur « la matière qui est esprit ». Au cœur de toute enquête, Aurel voyait une lente transmutation : il fallait observer la *matière* même du crime, ses instruments, ses lieux, son horaire pour parvenir à remonter jusqu'à son *esprit*, celui de la victime comme celui du criminel. En l'occurrence, il se sentait encore bien loin du compte. Un vieil homme avait été retrouvé mort dans sa piscine après avoir été frappé et ligoté. Il était environné de convoitise et de haine. Comment savoir laquelle s'était incarnée en meurtre ?

Aurel s'énervait en y pensant. En frappant sur le rebord du bureau, il fit quelques fausses notes qui retentirent désagréablement à ses oreilles. D'un coup sec, il fit comme s'il refermait le couvercle du clavier, tordit les articulations de ses doigts pour les faire craquer et vit qu'il était l'heure de descendre chez le Consul général.

Mortereau, debout, manipulait des piles de parapheurs d'un air las. Il avait ce tic de se passer la main dans les cheveux d'avant en arrière. Une petite crête blonde se dressait sur son crâne et lui donnait des airs de Tintin.

— Je suis à vous dans un instant, Aurel.

Il terminait le petit ménage de son courrier, triait des télégrammes, signait des lettres d'un paraphe nerveux.

— J'ai appelé le directeur de la prison. Vous ne m'en voudrez pas, je vous ai un peu chargé.

J'ai prétendu que vous n'aviez pas l'expérience nécessaire pour une affaire aussi grave. Comme l'affaire était sensible, je devais voir moi-même la personne détenue. Il a très bien compris. Il nous attend.

Pas l'expérience ! Ce que les diplômes peuvent rendre stupide, tout de même... Aurel, sans rien laisser paraître, était affligé. Dieu sait qu'il aimait la France, pays qui l'avait littéralement racheté et tiré des griffes de Ceausescu. Mais il ne s'était jamais résolu à ce système de concours qui permettait d'obtenir à vingt ans un avantage à vie, qui classait les individus en castes et protégeait à jamais des nigauds du calibre de Mortereau.

Ils se tassèrent à l'arrière de la voiture de fonction. Le jeune Consul général s'ébrouait dans son écrin de velours gris – pour le cuir, il lui faudrait monter encore quelques échelons –, ravi de sa propre réussite. Il vouvoyait son chauffeur, un vieux Mozambicain qui avait du poil dans les oreilles et en avait vu d'autres.

— J'ai parlé de cette affaire à ma femme au déjeuner. Vous connaissez ma femme, Aurel ? Non. Alors, il faudra que je vous la présente.

Mortereau était célèbre chez les expatriés à cause de son épouse, une Indienne des Caraïbes. Elle était affligée d'une sorte de névrose d'achats compulsifs. Elle écumait les magasins de la capitale et, dès qu'elle tombait sur des promotions, faisait des commandes en quantité. Elle rapportait cinquante tubes de dentifrice, deux cents bouteilles de shampoing, trente kilos de bœuf. La grande question était de savoir ce qu'elle pouvait bien en faire.

— Elle a suivi des études de psychologie à Nanterre, vous le saviez ? Eh bien, elle me dit qu'il faut se méfier de cette Françoise Béliot. Elle l'a croisée une ou deux fois et elle ne croit pas un mot de ce qu'elle vous a raconté.

Allons, bon ! Il allait falloir non seulement supporter Mortereau mais aussi les avis de sa criminologue de femme. Aurel sentait que malgré tout l'intérêt qu'il portait à cette enquête, il y avait un gros risque qu'il finisse par en être dégoûté.

L'accueil à la prison fut bien différent du matin. Aurel mesura ce qu'était l'autorité. Plus besoin de frapper au portail ni d'attendre le bon vouloir des gardiens. L'un d'eux faisait les cent pas devant l'établissement en les attendant. Il ouvrit la portière arrière droite de la voiture. Le Consul général en sortit avec des airs de chef d'État se rendant à un sommet de la dernière chance. Aurel se débrouilla tout seul et trottina derrière lui.

Les deux diplomates furent conduits le long d'un corridor jusqu'au bureau du directeur de la prison. La pièce était peinte en bleu pâle et ornée d'un portrait du président mozambicain. Le cadre était assez endommagé, preuve qu'il avait été ouvert bien des fois pour remplacer la photo au gré des changements de régime. Beaucoup d'hommes politiques avaient d'ailleurs dû, avant ou après leur arrivée au pouvoir, séjourner dans la prison à titre de simples détenus, si bien que le directeur, après avoir admiré leur portrait, avait fait connaissance avec l'original.

Une télévision accrochée à un bras télescopique était allumée dans un des coins de la pièce. Le son était réglé assez bas ; on entendait néanmoins les applaudissements et les rires d'un jeu télévisé.

— Prenez place, monsieur le Consul général, déclama le directeur.

Tant pis pour Aurel, qui s'assit quand même.

— Vous venez rendre visite à cette dame Béliot. Sale affaire. Et cette personne est très difficile.

Le directeur faisait mine de consulter un dossier posé sur le bureau.

— Savez-vous qu'elle a griffé une de nos surveillantes, hier ?

— Il faut la comprendre, monsieur le Directeur, elle clame son innocence.

— Notre surveillante aussi est innocente. Il faut que cette femme se calme. Dites-le-lui. Sinon, toute française qu'elle soit, nous devrons la mettre en régime spécial. Ce qui signifie lui interdire les promenades et les visites.

— Je vais faire mon possible pour la raisonner.

Le fonctionnaire semblait assez heureux de voir un diplomate français s'aplatir devant lui. Et Mortereau qui tombait dans le panneau ! Aurel était fou de rage. Ces gardes-chiourme sont les mêmes dans le monde entier. Le petit pouvoir qu'on leur donne…

— Puis-je vous demander, cher directeur, reprit mielleusement le Consul, où elle en est sur le plan judiciaire ?

— Officiellement, elle est inculpée de meurtre avec préméditation ainsi que de vol.

— De vol ?

Mortereau et Aurel se regardèrent. Personne ne leur avait encore parlé de cela.

— La victime avait apparemment un petit coffre dans sa chambre, un genre de caisse avec une serrure sur le dessus. Elle a été fracturée et on l'a retrouvée vide. Ce que j'en dis, c'est ce que les magistrats du parquet ont bien voulu me raconter. Je ne suis pas chargé du dossier.

Son ton exprimait clairement : « Ni vous non plus, que je sache. »

— Si vous souhaitez en savoir plus, je pense que son avocat pourra répondre à vos questions.

— Nous allons voir ça avec elle.

— En ce cas, ne perdez pas de temps. Tous les visiteurs doivent être sortis au moment où l'on sert le dîner. C'est le règlement.

Une explosion de joie dans la télévision indiquait que quelqu'un avait touché le jackpot.

*

Françoise Béliot était déjà installée dans le parloir quand le directeur y fit entrer le Consul général et son adjoint. La prisonnière se leva brusquement et regarda Aurel en souriant. Puis elle considéra Mortereau d'un air sévère.

— Je vous laisse, fit le directeur de la prison, et il s'éclipsa.

— Qui est-ce ?

Françoise avait parlé directement à Aurel, en faisant un simple signe du menton vers le Consul général. Bien qu'elle ne l'eût pas interrogé, celui-ci répondit lui-même.

— Je me présente : Didier Mortereau, chef de la section consulaire à l'ambassade de France au Mozambique. Monsieur Timescu, que vous avez vu ce matin, est mon adjoint.

Aurel fit un petit signe de connivence en direction de Françoise comme pour lui dire : ne créez pas d'incident. Elle comprit car elle alla se rasseoir et attendit les questions.

— Nous avons peu de temps, madame, reprit Mortereau. Mon collaborateur m'a fait part de ce que vous lui avez dit ce matin.

Aurel eut encore une mimique qui disait : laissez-le causer. Françoise Béliot sourit parce qu'il était très drôle dans ce rôle muet.

— Reprenons là où vous en êtes restés. Que s'est-il passé quand vous avez atterri à Maputo, il y a quelques mois ? Vous aviez prévenu votre mari de votre arrivée, je veux dire M. Béliot ?

La prisonnière réfléchit puis commença à parler en regardant Aurel.

— Non, je ne lui ai rien dit avant. J'ai sonné une après-midi, en débarquant de l'avion avec mes valises.

— Il était là ?

— À sa place habituelle : dans son fauteuil, face à la piscine. Je pense qu'il en était déjà à son troisième ou quatrième scotch.

— Et alors ? fit Mortereau, incapable de dissimuler sa curiosité.

Aurel craignit un instant que cette impatience brise le charme. Mais Françoise avait décidé de parler et, en elle-même, c'était à lui qu'elle s'adressait, sans tenir aucun compte des interjections juvéniles du Consul en chef.

— Il m'a prise d'abord pour une cliente. Il a fait signe aux gamines de s'occuper de moi. Puis, tout à coup, il m'a reconnue. Son visage s'est déformé de colère. Il a voulu se lever mais il a trébuché et s'est rattrapé à l'accoudoir du fauteuil. C'était étrange : je reconnaissais tous les signes annonciateurs des colères qui me faisaient si peur. Sauf que, cette fois, je n'avais plus peur.

— Il aurait pu vous faire jeter dehors, remarqua Mortereau.

— Le temps avait passé et nous étions allés en sens inverse. Il était devenu faible et je me sentais désormais très forte.

Aurel la fixait intensément. Il cherchait la faille, l'expression fausse, le visage du mensonge. Mais tout sonnait parfaitement juste.

— Je me suis assise en face de lui. Il y avait une serveuse qui se tenait sur le côté, avec mes valises. Je lui ai ordonné de les porter dans ma chambre. Il y a eu un moment de flottement. Je regardais Béliot droit dans les yeux. Il essayait de résister. Finalement, il a détourné le regard et a dit à la fille : « Porte-les dans la douze. » J'avais gagné.

À cette heure du soir, la circulation était intense devant la prison. Dans la pénombre qui envahissait peu à peu la pièce, on entendait résonner des bruits venus du dehors : klaxons et vrombissements de moteur. La chaleur retombait un peu.

Pour la première fois, Françoise parut s'apercevoir de la présence de Mortereau.

— Vous avez connu Roger Béliot ? demanda-t-elle au Consul général.

— Non. Je ne l'ai jamais rencontré.

Elle hocha la tête.

— Vous avez manqué quelque chose. C'était un personnage.

Aurel, qui avait conscience du temps qui passait rapidement, remit la conversation dans les rails.

— Quand lui avez-vous parlé de vos problèmes d'argent ?

— Je ne lui ai pas parlé de mes problèmes d'argent. Je n'allais pas m'humilier davantage. J'étais venue faire valoir mes droits sur le terrain et sur l'hôtel. C'est tout. Je le lui ai annoncé dès le lendemain.

— Comment a-t-il pris cela ?

— C'était au cours d'une sorte de dîner. Il ne m'avait pas vraiment invitée. J'étais servie sur une table près de la piscine et lui sirotait son whisky, comme toujours à la même place. J'ai pris mon assiette, mes couverts et mon verre et je me suis assise en face de lui. Il a fait un mouvement pour prendre la fuite mais je l'ai arrêté en lui saisissant le bras. Le fait que je le touche a eu l'air de l'émouvoir. Il s'est posé et m'a dit : « Je t'écoute. »

— Il se doutait de ce que vous alliez lui dire ?

— Je ne pense pas. Au fond de lui, il savait qu'il y avait une faille dans son patrimoine. Mais c'est comme les criminels, vous comprenez. Au bout de tant d'années, ils pensent qu'il ne se passera plus rien.

— Il n'avait pas préparé sa défense ?

— Il n'y avait rien à préparer. Mon argumentation était imparable. Je lui ai expliqué ce qu'il savait déjà.

— Et vous avez posé vos conditions ? intervint Mortereau qui paraissait très excité alors qu'Aurel et Françoise affectaient un calme de joueurs d'échecs.

— Évidemment. J'ai dit : « Je veux la moitié de ce terrain. » J'avais eu le temps de repérer les lieux le matin. J'ai montré une ligne qui passait au ras de la piscine et rejoignait les murs d'enceinte. Et j'ai annoncé : « Ce côté-là, avec tout ce qu'il y a dessus, c'est à moi. »

— Il a dû faire une de ces têtes !

— Assez généreusement, je lui laissais le côté où étaient bâties notre ancienne maison et la piscine.

— Tout de même, vous gardiez la moitié de l'hôtel ! insista Mortereau.

— Il a été très digne. Il m'a dit de faire un procès. Je lui ai répondu que c'était bien mon intention et que le dossier serait déposé au tribunal dans la semaine.

Aurel ne voulait pas perdre de temps en commentaires inutiles.

— Vous saviez qu'il était remarié ? demanda-t-il.

— Les enfants me l'avaient dit. Mais les choses vont vite avec lui. Ce que je ne savais pas, c'est qu'il était déjà séparé de sa Mozambicaine et qu'il en avait une autre, une toute jeune. Elle a dix-neuf ans et il l'a connue quand elle en avait treize. Vous vous rendez compte ? La pauvre gamine ! Treize ans !

— Mais il n'était pas marié, tout de même, avec celle-là ? intervint le Consul général qui peinait à suivre.

— Non, puisqu'il n'était pas divorcé de l'autre. Mais Lucrecia, la jeune, attend un enfant.

— De lui ?

Cette fois, c'est Aurel qui s'étonnait. Il avait vu Béliot, de loin certes. Mais il avait pu mesurer sa décrépitude.

— Il se bourre de Viagra, ce porc. C'est elle-même qui me l'a dit. J'ai pas mal discuté avec elle ; c'est une gentille fille, un peu molle, à vrai dire complètement soumise. Hélas pour elle, l'âge n'avait pas calmé Roger sur ce plan-là. Quand j'ai appris qu'il était mort, j'ai tout de suite pensé que c'était de ça. Avec son cœur…

Mortereau devint écarlate. Il s'empressa de recentrer la conversation sur les questions juridiques.

— L'hôtel et le terrain doivent être en indivision avec la femme dont Béliot était séparé mais pas divorcé.

— Non, ils s'étaient mariés sous le régime de la séparation de biens, avec un contrat enregistré ici, au Mozambique.

— Comment le savez-vous ?

— Parce que je me suis renseignée avant de venir, figurez-vous. J'ai toujours gardé des relations polies avec le notaire qui s'occupait de nos affaires. C'était un vieil homme. Il m'aimait bien. Il m'envoyait ses vœux au nouvel an. Il est mort l'an dernier.

— Donc, sa femme n'a aucun droit sur ce terrain. Pourquoi pensez-vous alors que c'est elle qui l'a tué pour vous faire accuser ?

— Parce qu'elle a un fils avec Béliot. Après sa mort, c'est lui l'héritier de ses biens. Béliot avait fait un testament en sa faveur. Cela aussi, je l'ai su par le notaire. En le faisant assassiner et en me faisant porter le chapeau, elle fait coup double. Elle met la main sur l'hôtel grâce à son fils et elle se débarrasse de ma plainte.

— Sauf que ce testament, personne ne l'a vu...

— Elle le sortira un jour ou l'autre, vous verrez.

Elle était catégorique et son assurance impressionnait les deux hommes. Mortereau n'était pas loin d'épouser sa cause. Aurel doucha son enthousiasme.

— Ce dont vous nous parlez, ce sont les motivations du crime. Mais quelles sont les preuves matérielles ? À supposer que vous ayez raison, comment les choses se seraient-elles passées, selon vous ? Qu'est-ce qui, concrètement, vous permet d'accuser cette femme ?

— Et qu'est-ce qui prouve mon innocence ? C'est votre question ? Eh bien, rien. Je suis certaine de ce que j'avance mais je n'ai pas les moyens de le démontrer. Pour les découvrir, il faudrait que je sois libre, mais ils me retiennent enfermée ici. Ma situation est absolument critique et c'est pour cela que j'ai besoin de votre aide.

Mortereau eut à ce moment une réaction qui surprit beaucoup Aurel, tout en lui redonnant l'espoir de pouvoir agir seul.

— Hélas, dit le Consul général, en rougissant de nouveau, nous ne sommes pas des policiers.

La conversation qu'ils avaient eue jusqu'alors était si peu consulaire que ce scrupule soudain parut un peu ridicule. Françoise ne s'y arrêta même pas. Il était évident qu'elle faisait peu de cas des cloisonnements de l'ambassade. Elle n'entrait pas dans des considérations administratives quant à savoir si son cas ressortissait plutôt du domaine consulaire ou d'un attaché de sécurité intérieure qui, de toute façon, n'existait pas. Le dernier policier qui occupait ce poste était parti en juin et son remplaçant, retardé pour des raisons familiales, ne devait arriver que dans deux mois.

Aurel se prit néanmoins à espérer que son chef n'oserait pas s'aventurer sur le terrain d'une véritable enquête et lui laisserait les coudées franches. Malheureusement, après avoir exprimé ses scrupules, Mortereau continua de plus belle son interrogatoire.

— Comment les choses se sont-elles passées dans l'hôtel la nuit où Béliot a été assassiné ?

— Je n'en sais rien, figurez-vous. Et c'est tout mon problème. Le soir, j'ai dîné seule sur la terrasse. C'est une des gamines qui m'a servie. Béliot était dans sa chambre. Il n'en était pas sorti de la journée, sauf pour engueuler le jardinier un peu avant la tombée de la nuit.

— Il était valide ?

— Ni plus ni moins que d'habitude.

— Ensuite ?

— J'ai regardé la télévision dans l'office pendant que la serveuse débarrassait. J'ai entendu le personnel de cuisine faire la vaisselle. Le cuisinier m'a apporté une tisane. Peu de temps après, je suis montée me coucher.

— Où est votre chambre ?

— C'est la douze, celle que Béliot m'a donnée le premier jour et que je n'ai plus quittée. Tout le monde la connaît : c'est la plus mauvaise de tout l'établissement. C'est pour ça qu'il avait choisi celle-là pour moi. Elle est située à l'autre bout de l'hôtel. Elle ne donne pas sur le jardin, contrairement à toutes les autres, mais sur une petite cour. Les moteurs des chambres froides sont installés au rez-de-chaussée. Ils chauffent et font un boucan du diable la nuit. Les premiers temps, je ne fermais pas l'œil. Après, j'ai réussi à trouver des boules Quies. Et souvent, je prends un petit somnifère.

— Vous en aviez pris un ce soir-là ?

— Oui.

— Donc, vous n'avez rien entendu.

— Rien.

Mortereau tordit le nez, avec un air de chien d'arrêt.

— Et de quelles preuves disposent les autres contre vous, alors ? Pourquoi vous accuse-t-on ?

— Parce qu'il paraît qu'il n'y avait que moi dans l'hôtel cette nuit-là. C'est vrai qu'on n'avait plus vu un client depuis votre départ, monsieur Aurel. Le personnel était parti après le dîner. La jeune copine de Béliot était chez sa mère à la campagne. Il n'y avait que le vieux gardien qui dort dans une cahute près de l'entrée. Et moi.

— Ça ne suffit pas à vous accuser.

— Pour les policiers mozambicains, il faut croire que si. D'après eux, le gardien aurait entendu les bruits d'une dispute entre Béliot et une femme qui parlait français sans accent. Ils ont recueilli aussi le témoignage d'un ancien chef de la police, un ami de Béliot et, soit dit en passant, un amant de sa femme mozambicaine. D'après lui, Béliot ne se sentait plus en sécurité depuis que j'étais là. Je l'aurais menacé de mort. Il paraît même qu'il faisait goûter ses plats par les chiens de peur que je l'empoisonne.

— Pas très solide, tout cela, remarqua Mortereau. Vous pouvez vous défendre. Au fait, avez-vous un avocat ?

— C'est celui qui me représente dans le procès pour récupérer ma part de l'hôtel.

— Qui est-ce ?

— Maître Hippolyte Bakasso. C'est un homme assez jeune. Il a l'air compétent, même s'il ne me semble pas avoir beaucoup de dossiers.

— Comment l'avez-vous connu ?

— C'est mon avocat en France qui me l'a conseillé : il l'avait vaguement rencontré dans un congrès de juristes francophones. Au fond, je ne sais rien sur lui. Si vous pouviez m'en apprendre un peu plus. Il paraît que tout le monde achète tout le monde, ici. Je me méfie un peu.

Quand Mortereau et Aurel se retrouvèrent dehors, à la fin de l'entretien, ils attendirent un moment la voiture qui était garée un peu plus loin.

— En somme, dit le Consul général, elle n'a pas vraiment de famille. Ses enfants ne s'occupent pas d'elle. Elle ne connaît personne dans cette ville, même pas son avocat. Il n'y a que nous pour prouver son innocence.

— C'est juste, acquiesça lugubrement Aurel.

Ce « nous » confirmait ses pires craintes : Mortereau n'avait aucune intention de le laisser conduire l'affaire tout seul.

V

Aurel avait loué un appartement au dernier étage d'un immeuble de bureaux, dans le quartier de la poste et de l'hôtel de ville. C'était un bâtiment des années 50, construit pour durer. Cependant, si la maçonnerie tenait bon, l'entretien des parties communes laissait beaucoup à désirer. La cage d'escalier, de proportions monumentales, était éclairée par de rares plafonniers, la plupart cassés. La peinture était écaillée et couverte de graffitis. Une fois franchis ces abords désolants, l'appartement dans lequel on pénétrait était, lui, en bon état et presque luxueux. Aurel, comme à son habitude, s'était empressé de le rendre obscur et hors du temps. Il avait obturé les baies vitrées par des rideaux occultants et disposé dans chaque pièce des lampes sourdes qui projetaient de grandes ombres sur les murs. Des reproductions de Klimt et des vues de la campagne roumaine étaient accrochées de guingois. Le piano droit avec ses bougeoirs en cuivre trônait dans le salon.

Sitôt entré dans cet appartement, Aurel se sentait ailleurs, c'est-à-dire chez lui. La touffeur qu'il ne pouvait empêcher de pénétrer ne lui semblait plus venir d'Afrique mais rappelait l'atmosphère surchauffée des appartements de Bucarest en hiver.

C'était seulement là, dans cette ambiance familière, devant un verre de Tokay, qu'il pouvait reprendre ses esprits et se mettre véritablement à penser.

Après cette épuisante journée, il se déshabilla mais, selon son habitude, garda sa chemise. Il l'avait fait faire vingt ans plus tôt à Vienne. « Sur mesure », avait dit le tailleur, sans préciser la mesure de qui. Elle était beaucoup trop large pour Aurel et, à l'arrière, elle lui descendait presque jusqu'aux genoux. Il enfila des chaussons mongols à pompons et mit en route la vieille chaîne stéréo dans laquelle un CD d'Erik Satie était en lecture.

« La matière est esprit », gémit-il en s'enfonçant dans le fauteuil en bois doré d'un épouvantable mauvais goût qu'il avait loué avec l'appartement. Et, en effet, ces simples dispositions matérielles, les rideaux, la pénombre, la bannière de batiste qui lui enveloppait les fesses, le verre de Tokay et les notes de piano suffisaient à donner corps à ses rêves et à faire défiler, sur le fond blanc du mur, la galerie des portraits dont il souhaitait s'imprégner.

En tête, à tout seigneur tout honneur, venait Béliot lui-même, en majesté. Béliot. Si sa mort restait encore mystérieuse, sa vie l'était plus encore. Aurel ne parvenait pas à s'en faire une image claire. C'était, de toute évidence, un vieux colon raciste mais qui épousait une Africaine et lui léguait tous ses biens ; un misanthrope mais qui recevait la visite régulière de notables du coin ; un homme autoritaire et violent mais qui ne parvenait pas à mettre dehors une femme qui ne lui était plus rien et qui venait lui réclamer la moitié de sa fortune. Béliot était-il fort, comme il voulait le paraître ? Ou s'agissait-il plutôt d'un de ces êtres faibles qui, pour cacher leur vulnérabilité, construisent autour d'eux un petit monde sur lequel ils ont l'illusion de régner ?

Et Françoise ? Était-elle la victime qu'elle prétendait être ou un personnage plus dangereux et calculateur, dont Béliot était parvenu à se protéger quand il était dans la force de l'âge mais face auquel il n'avait pas fait le poids, la vieillesse venue ?

Aurel fermait les yeux et les rouvrait brutalement en fixant le mur blanc. Il observait quelle image de Françoise se projetait alors sur cet écran. Il l'avait vue pleurer, minauder, menacer, accuser. Aucun de ces visages n'apparaissait. Celui qu'il voyait était une sorte de masque lascif, les yeux mi-clos, la peau lisse, la bouche entrouverte. C'était un visage surhumain, inaccessible à toute pitié, le visage de la justice et de la mort. Aurel ne savait comment l'interpréter sinon que ce n'était pas le visage de l'innocence mais plutôt celui, impitoyable, du destin. Cela voulait-il dire qu'elle était coupable ?

Il se leva et alla se servir un nouveau verre de vin blanc.

Puis il se rassit et essaya de faire paraître d'autres images. Il ne parvenait à en évoquer aucune. Il se rendait compte que toute cette affaire était réduite pour le moment à un face-à-face tout à fait insuffisant. Il mettait en regard deux personnages, Béliot et sa première femme, qui étaient depuis longtemps étrangers l'un à l'autre. La vie de chacun d'eux les avait mis en présence de bien d'autres gens mais ils étaient encore invisibles.

Aurel se dit qu'il ne pouvait à ce stade formuler aucun jugement. Il lui fallait aller à la rencontre de ces figures de l'ombre : la deuxième femme de Béliot, sa copine actuelle, le fils métis qu'il avait eu de son second mariage… Et tous ces personnages qui venaient voir le vieil entrepreneur… Que lui disaient-ils, que lui voulaient-ils ?

Mentalement, Aurel commença à bâtir une stratégie pour se mettre, dès le lendemain, sur la trace de ces figures manquantes.

Mais soudain, comme jadis ces panneaux qui annonçaient une interruption momentanée des programmes, apparut sur le mur le visage rougeaud de Mortereau avec sa petite houppe. Cette vision venait rappeler à Aurel la situation inédite dans laquelle il se trouvait. Il allait devoir encore cacher son enquête mais cette fois pour une raison tout à fait inattendue. Son supérieur, loin de lui interdire cette activité, voulait y prendre part, c'est-à-dire la diriger – on ne se débarrasse pas si facilement de ses habitudes hiérarchiques. Pour garder son indépendance, Aurel se voyait condamner à ruser plus.

Il savait combien il est délicat pour un diplomate de s'engager sur le terrain judiciaire et de susciter la confiance de ses interlocuteurs. C'était possible à condition de faire oublier son métier. Aurel y parvenait parce qu'on ne le voyait pas comme un personnage trop sérieux. Mais un attelage comme celui qu'ils formaient avec Mortereau ne laissait aucun espoir d'attirer des confidences. Il allait falloir tenir le Consul général à l'écart, lui lâcher des miettes pour calmer sa curiosité et agir seul.

Il éteignit la musique et se leva, dégourdit voluptueusement ses orteils sur le carrelage tiède et alla s'installer au piano. Il se détendit avec une pièce limpide de Schumann. L'Afrique avait tout à fait disparu. Il restait une rue de Brasov en hiver et un petit cortège de rabbins avec leurs chapeaux. Derrière eux, un enfant qui lui ressemblait trottinait, en se demandant ce qu'était la vie...

*

Le lendemain était le jour de réunion des chefs de service : Mortereau serait coincé toute la matinée chez l'Ambassadeur. Aurel s'habilla en vitesse, but une tasse de café debout dans sa cuisine et en profita, comme il l'avait prévu, pour aller faire un tour à la Résidence dos Camaroes.

Le gardien était en train de balayer le trottoir devant l'entrée. Aurel descendit du taxi et le rejoignit.

— Bonjour Pedro.

— Ah, monsieur Aurel !

Pendant son séjour, Aurel avait salué le brave homme matin et soir. Il en restait quelque chose.

— C'est plus calme aujourd'hui ?

— Plus calme.

Le gardien ne parlait guère français. Il fallait s'en tenir à l'essentiel.

— Il y a quelqu'un dans l'hôtel ? Des clients ?

— Clients ? Non. Pas clients.

Le contraire eût été surprenant.

— Quelqu'un du personnel ?

— Seulement une, dit le gardien en levant l'index. Mademoiselle Lucrecia.

— Je vais lui dire bonjour, lança Aurel en franchissant le seuil, sans laisser au gardien le temps de formuler un avis.

Le jardin, le matin, exhalait une humidité parfumée. Les troncs des palmiers étaient entourés de plantes vert cru qui poussaient dans des sortes de nids faits en fibres de coco. Pedro les gorgeait d'eau chaque soir.

Aurel arriva à la terrasse où se tenait d'habitude Béliot. Rien n'avait bougé et il avait l'impression qu'à tout moment le vieil homme pouvait surgir, avec son maillot de corps douteux et son caleçon sans forme.

Machinalement, il regarda vers la chambre du rez-de-chaussée. La porte en était grande ouverte. Pendant son séjour, Aurel n'avait jamais pénétré dans cette pièce et n'avait même jamais aperçu ce qu'elle contenait. Il s'approcha et jeta un coup d'œil à l'intérieur. C'était une chambre qui paraissait d'autant plus exiguë qu'elle était remplie de meubles. Un énorme lit occupait presque toute la surface. En face de lui, sur un buffet, trônait le vaste écran de télévision que Béliot, d'après le personnel, gardait allumé jour et nuit. Les murs étaient encombrés d'armoires bon marché, des meubles en aggloméré à portes coulissantes, certaines recouvertes de miroirs. Sur ces armoires étaient empilées des valises de toutes tailles. Elles donnaient à la chambre un air de foyer d'immigrés, précaire et provisoire, qui contrastait étrangement avec la finition soigneuse et le confort du bâtiment hôtelier. On avait l'impression que Béliot séjournait là en clandestin. Alors qu'il y avait vécu plus de quinze ans, il semblait s'être préparé à s'enfuir à tout instant. Le seul objet un peu personnel était un vaste aquarium qui occupait l'espace libre entre deux armoires. Il était éteint et dans l'eau verdâtre on voyait aller et venir vers la lumière quelques beaux spécimens de poissons tropicaux.

Aurel était occupé à scruter cette surprenante intimité quand une voix derrière lui le fit sursauter.

— Bonjour, monsieur le Consul.

Il se retourna vivement et vit la jeune femme qu'on appelait Lucrecia, debout sur la terrasse. Il l'avait souvent croisée quand il habitait l'hôtel mais n'avait jamais entendu le son de sa voix. Longtemps, il s'était imaginé qu'elle faisait partie du personnel. Quand Béliot était rentré de l'hôpital, il l'avait vue prendre soin de lui tout comme Françoise. Mais, à la différence de celle-ci, Lucrecia était admise à entrer dans la chambre du maître de maison. Il avait même semblé à Aurel qu'elle y passait la nuit. Il avait cependant fallu les confidences de Françoise pour qu'il pût croire que Lucrecia était bien la maîtresse de Béliot. Cette idée, à cause de la différence d'âge sans doute, lui paraissait incongrue et scandaleuse. Mais ce matin, quand elle le surprit en train d'inspecter la chambre, Aurel s'avisa qu'en effet elle était à un stade avancé de grossesse.

— Vous cherchez quelque chose ?

La jeune femme parlait d'une voix douce, un peu rauque. Son expression était grave et même triste. Aurel la dévisagea. Ses traits étaient d'une extrême jeunesse mais les formes de son corps lui donnaient l'apparence d'une maturité bien plus grande. Sa coiffure se voulait naturelle mais un long travail avait dû être nécessaire pour donner à ses cheveux une telle teinte acajou et leur faire prendre cette ondulation savante. Elle parlait un français sans accent, avec des intonations travaillées qu'elle avait dû imiter de la télévision.

— Je regardais où vivait Roger Béliot, bredouilla Aurel.

Il se tourna vers la pièce et un instant l'un et l'autre gardèrent les yeux fixés sur la chambre.

— C'est… assez sommaire, comme installation.

— Il gardait toutes ses affaires autour de lui, précisa Lucrecia. Il ne voulait pas que des choses qui lui appartenaient soient dispersées ailleurs. La nuit, il déballait ses armoires, juste pour vérifier ce qu'il y avait dedans.

Elle parlait avec un certain détachement, comme si elle décrivait les mœurs d'un animal sauvage.

Elle sortit et Aurel la rejoignit sur la terrasse.

— Ne restez pas debout, s'empressa-t-il.

— Tout va bien, merci, répondit-elle, en mettant la main sur son ventre. Mais oui, asseyons-nous. Est-ce que je peux vous servir quelque chose à boire ?

Aurel avait bien envie de répondre « un verre de blanc », mais il ne voulait pas qu'elle saisisse ce prétexte pour s'enfuir à la cuisine. Le contact était pris ; il ne fallait pas le rompre.

— Rien, merci. Si je ne vous dérange pas, j'aimerais bien parler avec vous un instant.

— Comme vous voudrez.

Cette expression semblait assez bien résumer la personnalité de cette fille. Il sentait en elle quelque chose de résigné. Mais cet abandon n'était pas douloureux. C'était le prix à payer pour une complète liberté. Derrière le paravent de cette impassibilité, on sentait qu'elle cultivait un petit monde de rêves et de désirs qui lui suffisait.

— J'ai rendu visite à Françoise Béliot en prison.

— Comment va-t-elle ?

— Mal. Elle ne supporte pas d'être accusée du meurtre de son mari.

— Je la comprends.

— La croyez-vous capable d'avoir tué… ?

Aurel chercha comment désigner Béliot. Mais il se dit que c'était clair comme ça. La fille battit des cils. Pour la première fois, elle laissait deviner une émotion, une ébauche de révolte. Elle se reprit aussitôt et dit de la même voix calme :

— Elle aimait beaucoup trop Roger.

— Tout de même… elle lui faisait un procès. Vous le saviez ?

Lucrecia eut un imperceptible haussement d'épaules.

— C'étaient leurs relations. Depuis qu'elle l'a quitté, il y a plus de vingt ans, elle n'a jamais cessé de lui demander de l'argent. Et il n'a jamais refusé de lui en donner.

— Elle prétend qu'elle s'est retrouvée dans la misère et qu'elle est revenue à cause de cela.

— Ce ne sont pas mes affaires mais je sais ce que m'en a dit Roger, et elle aussi d'ailleurs. Il l'a aidée financièrement jusqu'à ce que leurs enfants soient grands. Ensuite, il a jugé qu'elle pouvait se débrouiller seule. C'est à ce moment-là qu'elle est venue ici demander sa part de l'hôtel.

— Vous pensez que c'était légitime ?

Lucrecia baissa les yeux et regarda ses mains. Elles étaient soigneusement manucurées et garnies de faux ongles recouverts d'un vernis émeraude, semé de paillettes.

— Je n'ai pas d'avis là-dessus.

— Tout de même, ils avaient des relations tendues depuis qu'elle était revenue ?

— Ils n'avaient pas de relations du tout. Roger ne lui adressait pas la parole.

— Et vous ?

— Moi, je m'entendais bien avec elle. C'est une femme généreuse.

— Elle prétend…

Aurel se troubla car les questions sexuelles le mettaient toujours mal à l'aise. Devant cette Lucrecia, fille pulpeuse, tout en chair et en rondeurs, évoquer des questions intimes risquait, comme de l'eau versée sur un acide, de faire éclater des vapeurs sensuelles qu'il redoutait.

— … que vous auriez connu M. Béliot très jeune.

— C'est exact. À treize ans.

Elle avait dit cela avec un grand naturel.

— C'est… un peu tôt.

Lucrecia haussa les épaules. Aurel sentit qu'elle n'avait pas très envie de s'exprimer sur cette question. Il préféra changer de sujet.

— Vous n'étiez pas dans l'hôtel le soir du crime.

— J'ai voyagé chez mes cousins dans le Nord. Mon oncle est mort la semaine d'avant et il y avait une grande cérémonie sur plusieurs jours. C'est comme ça chez nous.

— Quand étiez-vous partie ?

Aurel avait posé sa question très directement et elle ne parut pas s'étonner de cet interrogatoire. Il fallait pourtant qu'il y prenne garde. Il n'était plus dans son rôle de Consul.

— Deux jours avant la mort de Roger.

— Et, bien sûr, il ne se doutait de rien. Il ne vous a pas fait de confidences ? Vous n'avez pas senti qu'il avait peur ?

Elle réfléchit un long instant. Il semblait que tout, chez cette fille, était marqué par un sérieux, une gravité qui contrastaient avec la futilité apparente de sa vie.

— Si. Il avait peur depuis quelque temps.

— Peur de quoi ?

— Il ne me l'a pas dit.

— C'était lié à la présence de Françoise ?

Il se fit tout à coup un étrange silence. Aurel mit un moment à se rendre compte que c'était le ronronnement des frigos qui s'était arrêté. Presque au même instant, une pétarade démarra au fond du jardin.

— Coupure de courant, dit-elle machinalement. C'est le gros générateur qui s'allume...

Aurel se souvint que ce genre de panne était fréquent quand il séjournait à l'hôtel.

— Je vous demandais si, à votre avis, M. Béliot avait peur depuis que Françoise était revenue ?

— C'est à peu près de ce moment-là que ça date. Mais je ne sais pas s'il y a un rapport. Peut-être que ça avait plutôt à voir avec ses affaires.

— À propos de quoi, par exemple ?

Lucrecia haussa les épaules.

— Il ne m'a jamais mêlée à ses affaires.

— Vous avez remarqué que des gens particuliers venaient le voir, ces derniers temps ?

— Non, toujours ses mêmes relations.

— Vous connaissez leur nom ?

— Certains.

— Lesquels ? Vous voulez bien me donner des exemples ?

— Piotr.

— Piotr ?

— Vous ne le connaissez pas ? C'est vrai qu'on ne l'a pas vu depuis un moment.

— C'est un Mozambicain, ce Piotr ?

— Non. Je ne sais pas très bien d'où il vient. De Russie, peut-être, ou d'Ukraine, de Pologne... Enfin, par là.

— Qu'est-ce qu'il faisait avec Béliot ?

— Roger l'a aidé quand il est arrivé dans le pays. C'est un genre de réfugié.

— Il est jeune ?

— Une trentaine d'années.

— Et quel était son rôle ?

— Un peu l'homme à tout faire. Il s'occupait des affaires de Roger. Il portait des messages pour lui, ce genre de choses.

— Et aujourd'hui, vous savez où il est, ce Piotr ?

— Il avait disparu avant mon départ. J'ai supposé que Roger l'avait envoyé en mission, comme ça arrivait parfois.

— Et il n'est pas réapparu.

— Je ne l'ai pas vu ici, en tout cas.

Aurel regarda sa montre. Le temps de rentrer à l'ambassade, la réunion des chefs de service aurait pris fin et Mortereau serait déjà en train de le chercher partout.

— Une dernière question, Lucrecia.

Elle attendait calmement. Aurel l'imaginait ainsi : capable d'attendre des heures sans dire un mot, livrée à une vie intérieure mystérieuse.

— Béliot avait un coffre dans sa chambre. Il semblerait qu'il ait été fracturé. Savez-vous ce qu'il y avait dedans ?

— Rien.

— Comment cela ?

— Il m'avait souvent donné la clef pour que j'aille y déposer des choses. C'était un petit coffre comme il y en a dans les chambres de l'hôtel, pour que les touristes déposent leur passeport et leur carte de crédit. Il mettait des papiers là-dedans quand il n'avait pas le temps d'envoyer quelqu'un à la banque ou à la poste.

— Quel genre de papiers ?

— Des quittances, des factures, des choses sans importance.

— Pas de documents officiels, d'actes notariés ?

— Je n'en ai jamais vu.

Aurel rangea son petit carnet et se leva pour prendre congé.

— Le bébé, c'est pour quand ?

— Dans six semaines à peu près, je pense.

— Et qu'est-ce que vous allez faire ? Béliot vous a laissé quelque chose ?

— Je ne crois pas. Il ne m'avait jamais rien dit à ce propos. Il n'aimait pas qu'on parle de sa mort.

— Vous allez rester ici ?

— Sûrement pas. Sa femme ne va pas le permettre.

— Sa femme ?

— Fatoumata.

— Ah oui. Fatoumata. Alors ? Qu'est-ce que vous allez devenir ?

Lucrecia haussa les sourcils et Aurel comprit qu'il était inutile de l'interroger davantage sur le futur. Le futur était une dimension de l'existence qu'elle n'avait pas pour ambition de maîtriser. Arriverait ce qui arriverait. Il se dit que la vie aurait été plus agréable pour lui s'il avait été capable de voir les choses ainsi…

VI

Quand Aurel, au retour de la Résidence dos Camaroes, se présenta à la porte du bureau de Mortereau, celui-ci le fit entrer immédiatement et referma derrière lui avec des mines de conspirateur.

— Du nouveau ? demanda le Consul général à voix basse.

— Rien, mentit Aurel. Et de votre côté ?

— Réunion interminable ce matin. Le chargé d'affaires est trop junior. Il n'arrive pas à décider quoi que ce soit.

Pendant les fréquents déplacements de l'Ambassadeur, le premier conseiller assurait l'intérim. C'était un jeune énarque sans expérience, timide et autoritaire, qui s'était mis tout le monde à dos. Mortereau n'avait que deux ans de plus que lui mais il en parlait avec la condescendance irritée d'un vieux routier de la diplomatie.

— Il nous a refilé une visite officielle qui devrait être traitée par le service de coopération. C'est une mission d'information des Nations unies.

— En quoi cela regarde-t-il le consulat ? renchérit Aurel qui avait gardé du monde socialiste une irrépressible tendance à caresser le chef dans le sens du poil.

— En rien, vous avez parfaitement raison, Aurel ! Mais le conseiller de coopération est en mission en France, alors on nous refile le bébé…

— De quel genre de mission s'agit-il ?

— Une commission d'experts à propos de l'ivoire.

— De l'ivoire !

— Vous savez que le gouvernement mozambicain a confisqué d'énormes quantités de défenses d'éléphants chez les braconniers ces dernières années. Eh bien, ces messieurs les experts des Nations unies veulent assister à leur destruction.

— Rien de consulaire, insista Aurel en secouant la tête avec un air farouchement désapprobateur.

— Je ne vous le fais pas dire, confirma Mortereau en coulant vers son adjoint un regard reconnaissant. Le chargé d'affaires aurait pu confier ça à quelqu'un de la chancellerie. Mais il mélange tout. Il s'est mis dans la tête que, comme les experts en question sont pour la plupart des citoyens français, c'est au consulat de leur porter assistance.

— Assistance ? Mais ils ne sont pas en danger…

— Notre cher conseiller pense que les Mozambicains pourraient chercher à leur mettre des bâtons dans les roues. C'est vrai qu'ils n'aiment pas trop que des étrangers viennent mettre leur nez dans ces histoires de trafic. Mais il me paraît peu probable qu'ils s'en prennent à des gens mandatés par l'ONU.

— Quand arrivent-ils ?

— Ils sont là ! Quatre écolos qui ne connaissent rien à l'Afrique et sont terrés depuis deux jours dans les salons de l'hôtel Radisson. Il faut que j'aille leur tenir la jambe.

Mortereau regarda sa montre.

— J'ai rendez-vous avec eux à onze heures. Je ne vais pas pouvoir continuer l'enquête sur la mort de Béliot aujourd'hui…

Ce n'était pas souvent qu'Aurel pouvait sentir planer au-dessus de lui cette entité que les chrétiens nomment ange gardien et à laquelle il ne croyait pas le reste du temps. Mais comment appeler autrement la force providentielle qui venait empêcher Mortereau de traîner dans ses pattes ?

— Ne vous en faites pas, dit Aurel en se forçant à prendre un air navré. Je vais poursuivre l'enquête et je vous tiendrai scrupuleusement au courant.

Faute de monter au front lui-même, il restait à Mortereau la possibilité d'endosser le costume de général en chef. Il se faufila derrière son bureau et, debout, tenant une règle à la main, se mit à pointer différents cercles tracés sur un grand papier.

— Je vous ai tout mis là. Première personne à aller voir dès que possible : la deuxième femme, la Mozambicaine.

— Fatoumata.

— C'est bien cela. J'ai fait des recherches cette nuit sur Internet. Elle a une maison à Maputo mais ma secrétaire a téléphoné et elle n'y est pas. Elle doit se trouver dans sa propriété de famille, à trente kilomètres environ d'ici en prenant la route du nord. J'ai noté l'adresse, telle qu'elle figure sur le dossier consulaire de Béliot. Dossier remarquablement vide, soit dit en passant. Le personnage ne cherchait visiblement pas à être trop en contact avec les autorités françaises.

— Vous croyez qu'il avait quelque chose à cacher ? Des activités illégales ?

Mortereau haussa les épaules.

— Tout est possible. En tout cas, il n'a jamais été condamné, ni ici ni ailleurs. Je pense plutôt qu'il était comme ces vieux broussards qu'on voit traîner par ici. Même s'ils habitent en ville, ils sont un peu sauvages et se tiennent à l'écart des diplomates. Remarquez que, quand on voit notre cher chargé d'affaires, on les comprend. Bref !

— Bref, opina Aurel.

Le Consul général frappa avec sa règle un des cercles tracés sur le papier. Dedans était écrit : Fatoumata Béliot. Il pointa ensuite un autre cercle qui entourait le mot « enterrement ».

— Essentiel ! trancha-t-il sur un ton martial.

Visiblement, il s'échauffait dans cette position de stratège. Aurel regardait ce gamin qui jouait au chef et se demandait quel enfant il avait été. Certainement pas un petit mâle dominant. Avec ses épaules étroites et sa tête d'étourneau, il avait plutôt dû rester à l'écart, plus ou moins à la remorque d'un leader. Et là, tout à coup, il découvrait la volupté de commander, le frisson d'une action vaguement clandestine. Aurel avait toujours su encourager ce genre de pulsions chez ses supérieurs. Il était pour eux le collaborateur idéal, le type qu'on fait courir partout et qui dit toujours amen. C'est pour cette raison qu'il s'organisait, dès son arrivée dans un poste, pour ne rien faire. Il ne voulait surtout pas mettre le doigt dans l'engrenage de la soumission.

— Demain matin, claironna Mortereau, à dix heures trente, lever de corps à la morgue de l'hôpital, suivie de l'inhumation au cimetière Sud, conformément aux volontés du défunt, consignées dans sa fiche consulaire.

— J'y serai.

— Je voudrais bien vous y rejoindre, mais c'est justement l'heure qu'ont choisie les écolos pour aller visiter l'entrepôt des douanes...

— Quel dommage ! se lamenta Aurel, en baissant les yeux.

— Heureusement, ils doivent voir aussi le ministre de l'Intérieur et j'en profiterai pour faire avec lui le point sur l'enquête, côté mozambicain.

Il passa à un autre cercle.

— Dernier site à visiter : la Résidence dos Camaroes lui-même et la pauvre gamine qui vivait avec ce vieux dégoûtant – paix à son âme. Je pense pouvoir y faire un saut cet après-midi.

— Inutile ! coupa Aurel en criant presque.

Mortereau dressa son visage de coq et le dévisagea durement.

— Et pourquoi cela ?

— Elle… elle n'est pas là.

— Comment le savez-vous ?

— J'ai téléphoné. Ils m'ont dit qu'elle était partie dans sa famille en province.

Coup de sourcil soupçonneux du Consul général. Puis il regarda sa montre.

— Bon, nous irons la voir à son retour. Je dois filer, maintenant. On se téléphone ce soir si vous avez du nouveau, sinon on fait le point après l'enterrement demain.

Aurel s'éclipsa, après avoir exécuté une sorte de salut militaire qui le fit rire tout seul dès qu'il fut dans le couloir.

*

L'avantage d'avoir le soutien de son supérieur dans cette enquête était perceptible au niveau des transports. Dans les postes où Aurel était placardisé, il circulait exclusivement en taxi ou, avec moult difficultés, dans les voitures de service les plus miteuses.

Cette fois, c'est installé à l'arrière du nouveau 4 × 4 du consulat qu'il se rendit chez Fatoumata Béliot. C'était une des premières fois qu'Aurel quittait la ville. En s'éloignant du centre de Maputo, il découvrit les immenses quartiers africains qui entourent la capitale mais sont rigoureusement séparés des anciennes zones habitées par les colons. On y retrouve les rues de terre, les petites maisons enchevêtrées, la foule africaine bariolée. Rapidement, la route s'élève et aborde les premières collines. Aurel était agréablement surpris par le relief. Avec l'altitude, l'atmosphère devenait plus fraîche. Débarrassé des miasmes de la plaine, l'air était limpide et faisait ressortir les vives couleurs des collines semées de manioc et plantées d'araquiers.

La maison de Fatoumata était un domaine traditionnel africain, composé d'une ferme d'élevage sur laquelle avait été construite une maison plus résidentielle. Elle restait très campagnarde avec son toit de chaume et ses grilles forgées à la main. La voiture déposa Aurel dans un enclos où étaient plantés de gros piquets tordus auxquels on attachait les vaches. Les bêtes avaient poli le bois en s'y frottant. Il fallait encore franchir une haie d'épines sèches pour pénétrer dans la maison. Fatoumata l'attendait sur la terrasse, en haut de trois marches de bois usées.

C'était une très belle femme, enveloppée dans un costume traditionnel bleu pétrole à ramages.

Ses cheveux étaient soigneusement tressés en nattes fines rassemblées en chignon. Il était difficile de déterminer son âge avec précision mais elle avait cette assurance que donne la maturité aux Africaines. De fines rides sur le bord de ses yeux et autour de sa bouche atténuaient la gravité de son expression et laissaient deviner ce que pouvait être son sourire.

Elle tendit à Aurel une main volontaire. Il la saisit et, à son grand étonnement, sentit qu'elle était soyeuse et molle. Sans un mot, Fatoumata conduisit son visiteur jusqu'à l'extrémité de la terrasse, où étaient disposés quelques fauteuils autour d'un plateau en bois posé sur deux grosses pierres. Elle ne s'abaissa pas à demander ce qu'il voulait boire. Une servante pieds nus, tapie dans un coin de mur, vint s'en préoccuper.

— Merci de me recevoir, madame.

Aurel avait horreur du silence en société. Autant il le cultivait chez lui, comme un attribut voluptueux de sa solitude et de sa réflexion, autant, en présence de quelqu'un, il lui semblait synonyme de malaise et même de menace.

Fatoumata inclina la tête et cligna des paupières. Il y avait dans son attitude une majesté qui impressionnait Aurel.

Il s'embrouilla en expliquant qu'il était dans son rôle consulaire en venant la voir, tout en essayant de la préparer à entendre des questions qui iraient un peu plus loin. Elle se montra impitoyable et le laissa patauger dans ses explications sans l'aider du moindre commentaire. Il sortit un mouchoir à carreaux de la poche de son manteau et s'épongea le front.

— Permettez-moi d'abord de vous présenter mes condoléances.

La phrase était d'une extrême platitude mais avait le mérite de le faire atterrir sur un sol stable. Nouveau clignement de paupières de Fatoumata qui garda le silence. La servante, heureusement, apporta le café qu'Aurel avait demandé et posa devant la maîtresse de maison un verre rempli d'un liquide multicolore, un cocktail de fruits probablement. Pour se donner une contenance, il sortit de sa poche un carnet Moleskine et un crayon.

— Puis-je vous demander depuis quand vous étiez mariée à Roger Béliot ?

— Je le suis toujours, dit-elle.

Sa voix, comme sa main, était beaucoup plus douce que son apparence n'aurait pu le laisser craindre. C'était une voix de gorge assez sourde, comme en ont les chanteuses de gospel. Tout son visage s'éclairait quand elle parlait. Elle dévoilait une denture parfaite.

— Nous nous sommes mariés le 8 juillet 1990, poursuivit-elle. Et notre fils est né en 2000. Vous voyez, nous aimons bien les chiffres ronds.

Aurel ricana poliment et plongea le nez dans son calepin, en griffonnant quelques mots.

— Vous vous êtes connus…

— Ici même, à Maputo. Je faisais des études à l'Institut des Hautes Études de commerce. Il venait nous donner des cours. Dois-je vous en dire plus ?

— Non, non, non, se récria Aurel en secouant le mouchoir déjà trempé qu'il serrait dans sa main gauche.

Il cherchait à poser des questions qui appelaient des réponses moins intimes mais il avait l'impression qu'avec ce bougre de Béliot, tout était intime.

— Il vous a dit tout de suite qu'il avait été marié ?

C'était une question inutile et d'une maladresse totale. Il la regretta immédiatement. Mais Fatoumata ne parut pas s'en offusquer. Elle avait l'air de s'amuser de son trouble. Elle le regardait comme la maîtresse d'école qui a surpris un élève en train de faire des choses peu convenables dans les toilettes.

— Bien entendu.

Elle n'eut pas la charité d'en dire plus et le laissa à la torture, pour trouver une autre question.

Il en posa cinq ou six, totalement inutiles mais d'aspect plus consulaire, qui portaient sur l'état civil précis de Fatoumata Béliot, sa profession officielle, toutes choses qu'il pouvait aisément trouver dans les archives du consulat. Il lui demanda ensuite machinalement son adresse et se rendit compte trop tard qu'il se retrouvait de nouveau sur un terrain scabreux.

— Officiellement, nous sommes toujours mariés et notre résidence matrimoniale est à la Résidence dos Camaroes. Mais, comme vous le savez probablement, nos relations se sont un peu distendues. Nous ne sommes pas à proprement parler séparés. Mais je passe beaucoup de mon temps dans ma maison de Maputo et surtout ici, dans cette propriété.

Elle laissa passer un moment puis ajouta :

— Tout mon temps, même.

Aurel déglutit difficilement.

— Je comprends.

Par pitié peut-être, ou simplement pour abréger l'interrogatoire, Fatoumata prit les devants :

— Je sais aussi que mon mari vivait là-bas avec une autre femme. Vous comptiez sans doute m'en parler. Et je suis également au courant qu'elle attend un enfant de lui.

Aurel n'avait même pas la ressource de griffonner sur son calepin, tellement il était abasourdi. Le regard de Fatoumata pétillait d'ironie.

— Cela vous choque ?

— Eh bien… bredouilla-t-il, ce sont vos affaires. Elles ne me regardent pas.

— Il faut croire que si puisque vous semblez vous intéresser de très près au meurtre de mon mari.

Aurel se demanda confusément ce qu'elle savait des démarches qu'il avait entreprises à l'hôtel et à la prison. Elle donnait le sentiment d'être très bien informée. Si ce que l'on prétendait de ses relations avec l'ancien chef de la police était vrai, sa remarque pouvait contenir une sourde menace. Mais elle choisit de poursuivre sur un ton de confidence.

— Vous savez, monsieur le Consul, quand on aime quelqu'un, on veut son bonheur. Je n'ai jamais rien fait pour m'opposer au bonheur de Roger.

Tant qu'à s'enfoncer dans le marécage des sentiments, Aurel jugea qu'il était préférable d'aller jusqu'au bout.

— Et sa première femme ?

— Eh bien ?

— Vous saviez qu'elle était revenue ?

— Je savais surtout pourquoi.

— Il ne s'agissait plus du bonheur de M. Béliot en l'occurrence, mais…

Fatoumata attendait ce qu'il allait dire en portant calmement le verre de cocktail jusqu'à ses lèvres.

— … mais de vos intérêts.

Elle prit soin d'essuyer soigneusement sa bouche avec une petite serviette en papier.

— La fortune de Roger était à lui seul. Nous nous sommes mariés avec un contrat.

— Savez-vous s'il avait déposé un testament quelque part ?

— Vous êtes mieux placé que moi pour répondre. S'il l'avait fait, je suppose que le Consulat serait au courant.

— Nous n'avons rien trouvé de tel.

— Voyez-vous, cela ne m'étonne pas. Roger avait une peur maladive de la mort. C'était un homme très méfiant. Il était du genre à penser que s'il rédigeait un testament, quelqu'un pourrait vouloir en profiter et que cela lui porterait malheur.

— Pourtant, nous avons entendu parler d'un acte en faveur de votre fils…

Fatoumata fit mine de se draper dans son châle avec un air outragé.

— Vous semblez décidément vous intéresser de très près à cette affaire. Que cherchez-vous, exactement, monsieur le Consul ?

— Rien, rien, bafouilla Aurel.

Après un long regard sévère, Fatoumata reprit laconiquement.

— Il n'y a pas de document de ce genre. Même s'il était clair que mon mari souhaitait que notre fils reprenne un jour l'hôtel.

Un bruit de pas, sur la terrasse derrière Aurel, le fit se retourner brusquement. Devant lui se tenait un jeune garçon vêtu d'un jean et d'une chemisette rouge à manches courtes. Il avait la peau plus claire que sa mère, des traits de métis et des cheveux drus, noirs, assez longs et bouclés.

— Approche, David. Viens saluer monsieur le Consul.

Aurel se leva et serra la main que lui tendait respectueusement l'adolescent.

— David est rentré il y a un mois d'un stage à l'école hôtelière de Genève.

Le garçon gardait une attitude réservée. Il pouvait avoir une quinzaine d'années mais ses manières étaient celles d'un enfant timide.

— Merci, David. Tu peux nous laisser.

Le garçon salua d'un signe de la tête et rentra dans la maison.

— Il vit avec vous ici ? demanda Aurel une fois qu'il eut disparu.

— Normalement il a sa chambre à l'hôtel. Depuis son retour d'Europe, son père l'avait pris avec lui pour le mettre au courant des affaires.

— Pardon de cette question. N'y voyez aucune insinuation. Mais où était-il le soir du meurtre ?

— Je me doutais que vous alliez me demander cela. C'est pourquoi j'ai préféré qu'il n'entende pas.

Fatoumata leva les deux mains et rajusta la masse de ses tresses qu'un anneau de tissu retenait à l'arrière de sa tête.

— Les choses s'étaient mal passées avec son père les jours précédents. Roger était très nerveux. Il y avait cette histoire de procès avec Françoise. Et puis certainement d'autres choses que j'ignore. Il avait l'air d'attendre un événement important. Il y avait des conciliabules à l'hôtel. Il ne voulait pas que David soit là quand il recevait des visiteurs. Bref, deux jours avant sa mort, il a saisi un prétexte. Il a prétendu que David avait mal classé les factures des fournisseurs… En tout cas, il y a eu une scène et mon fils est venu ici.

— Donc, il était chez vous la nuit du crime ?

Le regard de Fatoumata se fit un instant très dur.

— La police, dit-elle sèchement, nous a déjà posé toutes ces questions. Je ne pense pas qu'il soit dans le rôle des diplomates de…

— Excusez ma curiosité ! intervint un Aurel soudain cramoisi. Vous avez tout à fait raison. Cela ne me regarde absolument pas.

Puis, pour changer de sujet et faire baisser la tension, il releva la tête et embrassa le paysage du regard.

— Quelle vue splendide !

De la terrasse, on apercevait, très loin en contrebas, un horizon boisé, vers lequel couraient des prairies en fleur et des champs d'orge mûr. Les touffes vert clair de grands bananiers venaient rompre par endroits cette harmonie alpestre. Le ciel était très bleu, de petits nuages s'effilochaient dans l'air limpide.

— Votre propriété s'étend très loin ?

— Vous apercevez ces toits de palmes, presque à l'horizon ? C'est encore un des villages de nos métayers. Tout ce que vous voyez est à nous.

L'usage du « nous » était de majesté. Aurel savait que Fatoumata était la fille d'un grand chef de la région.

— Ma sœur et moi, nous nous occupons des terres. Surtout moi, à vrai dire, car ma sœur est malade. Elle est à l'hôpital, sinon elle serait venue vous saluer.

Pour faire admirer le paysage, Fatoumata s'était levée et Aurel s'accouda au parapet de la terrasse à côté d'elle. Le vent frais des hautes terres rabattait de temps en temps vers lui son parfum vanillé auquel se mêlait l'odeur sucrée de sa peau noire.

Quoi qu'il n'eût aucun attrait pour la chair exotique, Aurel était toujours troublé par tout ce qui pouvait appartenir au domaine périlleux du désir.

Il prit conscience que l'entretien ne pouvait guère aller plus loin et qu'il devait se retirer.

— L'inhumation a bien lieu demain ? hasarda-t-il.

— En effet. Nous y serons.

Cette fois, le « nous » devait inclure d'autres membres de la famille, à tout le moins son fils.

— Triste moment ! dit Aurel qui aurait aimé en cet instant porter un chapeau, pour pouvoir l'ôter théâtralement et exécuter devant cette noble femme un salut de mousquetaire.

Fatoumata, sans répondre, tendit la main. Aurel la saisit avec, de nouveau, l'impression désagréable de toucher un petit animal sournois et dangereux, qui fuyait entre ses doigts. Puis il traversa la cour, contourna les piquets et s'installa avec toute la dignité voulue dans la voiture officielle. Deux vachers, appuyés sur un bâton, regardèrent la voiture s'éloigner en cahotant sur les ornières de boue séchée.

VII

Aurel devait passer par l'ambassade pour déposer la voiture au pool. En arrivant, il se fit interpeller par les gendarmes du portail.

— Le Consul général vous cherche partout. Il a dit que si on vous voyait, il fallait vous demander de le rejoindre de toute urgence.

Les bâtiments étaient déserts et la nuit commençait à tomber. Des lampes, disséminées dans les massifs et les allées, répandaient sur le tronc des arbres et au pied des murs une lumière bleutée. Quelques étourneaux piaillaient encore dans la fraîcheur d'un manguier. Aurel repéra une seule fenêtre allumée, au deuxième étage, et il lui sembla même distinguer une silhouette qui l'épiait.

C'était une mauvaise nouvelle. Il savait ce qu'elle signifiait : le Consul général n'allait pas tarder à revenir à la charge sur l'épineuse question du téléphone mobile. Dans le cadre de sa stratégie de résistance passive, Aurel refusait catégoriquement, partout où il passait, de se munir d'un portable. Il savait que cet instrument, en permettant de le localiser à tout instant, ne lui laissait aucune chance d'échapper à une discipline de travail. Certes, dans l'enquête en cours, il aurait pu avoir besoin d'un tel outil. Mais il fallait songer à la suite. Il lui restait un an au moins à tirer dans ce poste et, une fois ce meurtre résolu, s'il l'était un jour, il se retrouverait coincé…

Il frappa à la porte de Mortereau et entendit un bruit de pas, une chaise bousculée. Le Consul général avait dû courir reprendre place derrière son bureau.

— Ah, vous voilà enfin. Il faut absolument que vous ayez un téléphone portable.

Aurel prit l'air navré.

— Monsieur le Consul général, vous savez bien que les médecins me l'interdisent absolument. Je vous ai parlé de cette tumeur de l'oreille interne qu'on m'a opérée en Roumanie quand j'étais petit…

— Humm… En tout cas, essayez de faire savoir où vous êtes et restez joignable d'une manière ou d'une autre.

Aurel acquiesça d'un vif mouvement du museau.

— J'ai vu le ministre de l'Intérieur, claironna Mortereau. Il a appelé devant moi son collègue de la Justice.

— Alors ?

— Alors, c'est très mauvais pour Mme Béliot.

— Laquelle ?

— Françoise, bien sûr. L'enquête des Mozambicains est bouclée. Ils n'ont pratiquement pas de police scientifique donc : autopsie sommaire, quelques empreintes digitales, pas d'ADN ni d'analyse toxicologique.

— Le Moyen Âge, ironisa Aurel, pour se faire bien voir.

— Exactement. Au vu de ce peu d'éléments, l'affaire paraît simple. Françoise Béliot, seule dans l'hôtel avec son mari, a porté un bol de soupe au gardien comme chaque soir mais cette fois elle y a versé des somnifères, ce qui explique qu'il n'ait rien entendu.

— Mais c'est *elle* qui a pris des somnifères !

— Je vous dis ce qu'ils ont conclu. Ensuite, elle est allée dans la chambre de Béliot et elle l'a menacé pour le forcer à signer un papier reconnaissant ses droits sur la moitié de l'hôtel.

— Ah bon ! Ils ont retrouvé ce papier ?

— Non, mais il paraît que Françoise avait compris que la procédure n'allait pas aboutir. Elle se serait alors vantée auprès de quelqu'un de pouvoir obtenir un papier de Béliot reconnaissant sa dette avant l'audience. Elle aurait même ajouté qu'elle était certaine de l'obtenir « de gré ou de force ».

— Et Béliot l'aurait signé ?

— Probablement pas. C'est pour ça que la discussion aurait dégénéré et qu'elle l'aurait ligoté, torturé et finalement balancé dans la piscine.

Ils se regardèrent en silence. Dans la cour, par la fenêtre ouverte, on entendait bavarder les chauffeurs de garde qui fumaient, appuyés au capot de leurs voitures.

— Vous y croyez ? demanda Mortereau.

— Je ne sais pas. Vous me dites qu'ils ont l'air sûrs de leur affaire.

Aurel, dans ses enquêtes, ne raisonnait jamais de façon consciente ni méthodique. Il s'imprégnait des personnages et des lieux et laissait son intuition le guider. Mais Mortereau, tout à l'excitation de jouer au Sherlock Holmes, voulait l'entraîner sur la voie des déductions rationnelles et des hypothèses.

— Réfléchissons, énonça-t-il doctement. Béliot mort, ses biens revenaient à ses enfants : le fils de Fatoumata, mais aussi ceux de Françoise. Il ne voulait pas reconnaître sa dette envers elle. En le tuant, elle déclenchait le partage au profit de la génération suivante : celle des enfants. Elle obtenait pour eux ce qu'il lui refusait à elle. Ce pourrait être le mobile.

— Mais d'après Françoise, Béliot aurait fait une donation au profit exclusif de son fils David. Et j'en ai eu confirmation par d'autres sources.

Aurel se mordit les lèvres. Cette phrase imprudente allait peut-être l'obliger à révéler qu'il avait appelé Me Bartolomeo sans le dire au Consul général. Par bonheur, celui-ci, tout à ses déductions, ne releva pas.

— Admettons, objecta-t-il, mais où est-il, ce papier ?

— Je ne sais pas. Fatoumata prétend ne l'avoir jamais eu et on peut penser que c'est vrai, sinon, elle se serait empressée de le produire.

Il se fit un long silence pendant lequel les deux hommes réfléchirent, en gardant les yeux dans le vague.

— Peut-être qu'il le conservait avec lui ? hasarda Aurel. Pour être sûr que le garçon revienne travailler à l'hôtel et pour le faire tenir tranquille.

Le Consul général se dressa sur les pattes de derrière, le cou tendu comme un lémurien dans le désert. Ses yeux scrutèrent la pénombre du bureau, à droite et à gauche, puis se plantèrent dans ceux d'Aurel.

— Le vol !

— Plaît-il ?

— Le vol, répéta Mortereau. La cassette fracturée ! Françoise n'a peut-être pas réussi à faire signer un papier en sa faveur à Béliot, mais elle a pu au moins lui arracher le lieu où il cachait le testament en faveur du fils de Fatoumata, si ce que vous dites est vrai. Elle aurait ouvert le coffre et s'en serait emparée. Voilà, ça tient debout. Je commence à croire que les Mozambicains ont raison de l'accuser.

Aurel, malgré son désir de complaire à son patron, et surtout de rentrer boire un verre de blanc bien frais chez lui, avait du mal, sans pouvoir l'expliquer, à admettre la culpabilité de Françoise. Les déductions de Mortereau lui semblaient de simples constructions intellectuelles. On devait pouvoir, en y mettant de l'imagination et un peu de mauvaise foi, défendre l'opinion contraire.

— Je me range tout à fait à vos arguments, mâchouilla-t-il. Toutefois…

— Toutefois ? renchérit le Consul général, comme un judoka qui vient de mettre un adversaire au tapis et cherche dans l'assistance un quidam assez téméraire pour le défier.

— Toutefois, il me semble que Françoise Béliot n'est pas la seule qui aurait eu des raisons de se débarrasser de son mari...

Aurel regretta immédiatement ce commentaire. Son effet fut d'engager Mortereau à reprendre de plus belle ses supputations, en les élargissant aux autres personnages du drame.

— Bien sûr, Françoise n'est pas la seule qu'on puisse soupçonner. Je ne sais pas ce que vous avez pensé de sa femme mozambicaine, mais elle ne voyait certainement pas d'un très bon œil la naissance imminente d'un nouvel enfant.

Mortereau appuyait le menton sur sa main, comme il l'avait vu faire aux détectives. Aurel aurait juré qu'en cet instant il rêvait de fumer la pipe.

— La situation, reprit-il, serait différente si, comme vous le prétendez, Béliot avait fait un testament en faveur de son fils. Comme personne n'a vu ce papier, on est obligé de garder cette Fatoumata dans la liste des suspects mais, franchement, je n'y crois guère.

Mortereau regarda son subordonné avec un sourire finaud. Le régime communiste avait très tôt enseigné à Aurel qu il convenait de répondre à cette mimique par un air déférent et éperdument admiratif.

— Quant à la jeune compagne, s'écria Mortereau en se levant, prêt à foncer sur ce négligeable moulin à vent, on ne voit carrément pas à quoi lui aurait servi d'éliminer son bienfaiteur, surtout deux mois avant la naissance de son bébé. Si elle avait une chance de toucher sa part du magot, c'était en se servant de sa maternité.

Père de trois fils en bas âge, le Consul général s'exprimait avec l'autorité d'un homme accompli. Aurel, lui, était sans enfant et à peine marié – que savait-on de son épouse, sinon qu'elle vivait à Paris ? Au regard de son chef, il ne pouvait prétendre maîtriser une affaire où la psychologie plongeait dans l'abîme insondable de la différence des sexes et de la génération.

Pour en convaincre son interlocuteur et mettre un terme à son monologue, Aurel mima l'expression un peu groggy de celui qui vient de se voir administrer une sévère correction.

Sur ce KO, Mortereau sonna la fin du combat et laissa son adjoint rentrer chez lui pour se remettre.

VIII

Il était encore raisonnablement tôt, par rapport aux jours précédents, quand Aurel arriva chez lui. Depuis le début de cette affaire, il n'avait plus passé une seule soirée comme il les aimait. Par nature, il était un homme de la nuit. À Bucarest, pendant son adolescence, il avait pris l'habitude de traîner jusqu'au petit matin dans les bars étudiants. C'était là que se trouvait la liberté ou ce qu'il en restait. Son amour de la nuit n'était pas pour rien dans son passage au jazz. À la maison, devant ses parents, il se consacrait au répertoire classique. Mais sitôt dehors, il restait des heures à amuser la galerie en jouant des mélodies sur commande, dans un nuage de fumée. En arrivant en France, il en avait fait son gagne-pain pendant quelque temps. Depuis qu'il était entré dans la diplomatie, il n'avait pu perdre l'habitude de passer ses nuits éveillé et de se lever tard. Cet amour de la vie nocturne avait fortement contribué à lui faire refuser toute contrainte professionnelle.

La nuit s'accordait particulièrement bien avec la rêveuse solitude que nécessite une enquête. Il avait toujours résolu les énigmes auxquelles il s'était attaqué pendant ces heures de silence et d'obscurité, ces heures où l'on se sent environné par une ville endormie. Des millions d'esprits rêvent autour de vous, et donnent au silence une qualité particulière qui semble comme jamais propice au songe. Telles des illusions oniriques, Aurel laissait monter en lui les fantômes de tous les personnages du drame dont il tentait de comprendre l'origine. Les enquêteurs traditionnels, pour ne rien dire de ce balourd de Mortereau, procèdent par déductions et convoquent la logique ; Aurel, lui, se livrait à la rêverie la plus excentrique, jusqu'à ce qu'en naisse une lumière, un éclair, une simple lueur parfois. Et pour lancer cette rêverie, il n'avait jamais découvert meilleur auxiliaire que la musique.

En rentrant du consulat, il avait pris une douche rapide et enfilé une tunique indienne achetée naguère pendant une escale à l'aéroport de Mumbai. Il s'était versé un généreux verre de blanc et mis au piano.

Il laissait toujours son inconscient opérer le choix du premier morceau. Ce soir, l'inspiration lui venait laborieusement. Il resta un long moment les yeux fermés devant l'instrument. Puis il ouvrit le couvercle du clavier. Il sourit en voyant dans le bois précieux les traces laissées par les doigts d'une de ses précédentes victimes [1]...

Le morceau qu'il allait jouer n'était toujours pas là. Il tendit un bras et laissa sa main droite atterrir sur les touches. Comme un chat qui retombe tant bien que mal sur ses pattes, elle plaqua un accord. Il en appela un autre, puis deux, puis trois. Au bout d'un instant, il reconnut que sa main jouait une transcription pour piano de la chanson *Yesterday.* Il posa l'autre main et commença à chanter.

C'était tout l'univers des sixties, le monde auquel il avait tant rêvé quand il était confiné dans sa Roumanie natale. Il continua, en jouant des variations jazz sur le thème de la chanson et en saisissant le verre de vin pour le boire d'un trait, sans s'interrompre. Comme toujours avec les chansons des Beatles, les larmes ne tardèrent pas à lui venir, sans qu'il sache bien pourquoi. Il se sentait plein de reconnaissance pour ces

1. Voir *Le Suspendu de Conakry.*

garçons qui l'avaient aidé sans le savoir à garder l'espoir pendant la dictature. Il souriait en revoyant leur mèche bien peignée, leurs cravates ficelles, leurs pantalons serrés.

Tout à coup, il fut envahi par une forte émotion, comme chaque fois que le miracle se produisait : il voyait un cinquième personnage sur scène, à côté des Beatles. Il ne jouait d'aucun instrument mais tapait dans les mains et faisait des pas de danse, sans trop respecter la cadence.

— Salut Roger, murmura Aurel en fermant les yeux.

Le cinquième homme se balançait toujours. Il souriait et des filles, autour de l'estrade, criaient en le regardant. C'était bien Roger Béliot, avec un visage inattendu, une mèche comme les Beatles et un sourire ravageur. Il ne ressemblait en rien au vieil homme qu'Aurel avait aperçu dans son hôtel. Pourtant il le reconnut sans hésitation. Il reprit le refrain et joua plus fort en accélérant légèrement pour déchaîner Roger, le faire se déhancher sans complexe. Il était maintenant au premier plan, comme s'il allait chanter, et les Beatles étaient derrière, petit orchestre à son service.

Tout à coup, une idée traversa l'esprit d'Aurel : ce visage n'était pas sorti de son imagination. Il l'avait vu quelque part et c'est pourquoi il le reconnaissait. Soudain, il se souvint : c'était dans la chambre de Béliot, il avait porté son regard sur cette photo quelques secondes. Le cliché était en noir et blanc. On y voyait un groupe de jeunes. Au centre, un couple où l'on distinguait nettement Françoise. Cette ressemblance avait permis à Aurel de retrouver dans les traits juvéniles du garçon à côté d'elle certains points de similitude avec le visage ridé du Béliot d'aujourd'hui.

Aurel se laissa de nouveau porter par la mélodie et se concentra sur sa vision. Béliot était descendu de l'estrade et dansait maintenant au milieu de filles surexcitées. Il y avait des Blanches et des Noires, des très jeunes et des plus mûres. Elles s'approchaient, venaient le toucher. Il les attirait près de lui et les embrassait.

La scène dura longtemps. Aurel avait enchaîné sur un autre morceau sans même s'en rendre compte. C'était un tube français des années 70. Béliot était maintenant coincé au milieu de la foule et dansait le slow. Chaque fois qu'il tournait, sa partenaire changeait. Aurel reconnut Françoise, puis Fatoumata, puis Lucrecia, d'autres encore.

Peu à peu, la vision s'éloigna. Béliot et le couple éphémère qu'il formait, englouti par la multitude, disparaissait.

Aurel s'arrêta de jouer et l'excitation qu'il avait ressentie tomba brusquement. Il frissonna. Il se sentait vidé, épuisé. Il alla jusqu'à la salle de bains et passa un peignoir bleu marine en tissu éponge, tout effrangé. Puis il se servit un nouveau verre et alla s'affaler sur le canapé.

Il repensait à cette apparition et tentait d'en percevoir la signification. Il mêlait cette récente impression avec les sentiments qu'il avait éprouvés, en interrogeant ces trois femmes. Tout cela était confus, presque illisible. La première bouteille de blanc était déjà terminée. Il alla en chercher une autre dans un des placards de la cuisine et vit, sans réagir, passer une souris, en ouvrant la porte.

De retour sur le canapé, il sentit l'effet de l'alcool : seul le Tokay, et à partir d'une certaine dose, pouvait ouvrir dans son esprit un espace qui n'était pas encore le sommeil et déjà plus tout à fait la conscience : lucidité minimale, clairvoyance maximale.

Un long moment passa, pendant lequel Aurel se laissa flotter dans ces limbes. Puis, soudain, il se redressa. Une évidence lui était apparue. Il essaya de la formuler. Un cahier et un stylo traînaient toujours sur la table du salon. Aurel savait qu'il devait fixer ses intuitions sur le papier, sous peine de les chercher désespérément quand il se réveillait.

Machinalement, il écrivit. « Comme sous la dictée d'un ange », pensa-t-il.

— Béliot est aimé.

Puis il s'assoupit de nouveau.

Il ne faisait pas encore jour quand il s'éveilla. Difficile de dire combien de temps s'était écoulé. Il alla jusqu'à la salle de bains et s'aspergea le visage. Puis il revint au salon et prit le cahier sur la table. Il relut la phrase qu'il avait notée.

« Béliot est aimé », se répéta-t-il.

À la cuisine, il fit chauffer de l'eau pour préparer un café turc, tout en réfléchissant à ce qu'il avait voulu dire en écrivant ces mots. Il se remémora quelques-unes de ses pensées de la nuit. Ce qui lui était apparu confusément était assez clair et plutôt simple.

Contrairement à l'image qu'il voulait donner, Béliot était un homme qui avait été entouré d'amour. Les femmes qui gravitaient autour de lui avaient été aimantées par quelque chose qui émanait de tout son être et qui suscitait la passion. C'était cela qu'Aurel avait senti en interrogeant ces femmes : elles aimaient cet homme. Elles le respectaient et tenaient à lui. Même Françoise, qui n'osait pas l'avouer et se donnait des airs de victime, avait entretenu avec Béliot jusqu'à sa mort un lien solide qui, par-delà les péripéties de l'existence, s'apparentait bel et bien à de l'amour. Fatoumata n'exprimait pour lui que respect et tendresse. Quant à Lucrecia, qu'il avait prise à treize ans, elle ne manifestait aucun ressentiment à son égard et le pleurait sincèrement.

Pourtant, aucune des trois n'avait été payée de retour. Béliot était infidèle, rugueux, violent peut-être. Aurel se souvenait d'un sien cousin, en Roumanie, qui était exactement dans cette situation. Il ne faisait rien pour se rendre aimable mais c'était plus fort que lui : il suscitait l'amour. Aurel s'était d'ailleurs demandé si les hommes qui ont cet étrange talent ne sont pas naturellement conduits à se rendre odieux. Pour rester libres, ne pas être étouffés, respirer, tout simplement.

Bien sûr, l'amour n'exclut pas le crime. L'amour trahi, déçu, blessé, peut tuer. Dans le cas de ces trois femmes cependant, il ne semblait pas s'agir de cela. Pour chacune d'elles, l'histoire avec Béliot était ancienne, durable, accomplie. Elles avaient vécu avec lui, lui avaient donné des enfants. Rien n'était moins aveugle que leur affection pour cet homme : elles le connaissaient parfaitement. Elles connaissaient aussi l'existence des autres femmes. Rien n'était caché.

Le jour perçait. Par la fenêtre de la cuisine, Aurel voyait le ciel au-dessus du mur du jardin se teinter de rose et la chaleur commençait à s'insinuer à travers l'imposte ouverte.

C'était cela, l'idée qu'il cherchait confusément pendant que Mortcreau dissertait sur les questions d'héritage : il lui semblait qu'il fallait remonter plus en amont. Et maintenant, il comprenait ce qu'il avait voulu dire. Bien avant de réfléchir aux circonstances matérielles, aux conflits d'intérêts, à l'héritage et aux mobiles du crime, il convenait de se poser une seule question : l'une de ces femmes était-elle *capable* de tuer Béliot ? La réponse qui s'imposait à lui était simple : non, parce qu'elles l'aimaient.

C'était évidemment une conclusion qu'il serait à ce stade impossible de faire partager à quiconque, et certainement pas au Consul général. Elle était purement hypothétique. Aux yeux d'Aurel, ces évidences-là étaient pourtant les plus puissantes et il se laissait totalement guider par ces intuitions quand il avait la chance de les capter aussi nettement. Dans ce cas précis, cette évidence nocturne donnait un tour complètement nouveau à ses recherches. C'est en réfléchissant aux conséquences de cette découverte qu'il s'habilla. L'enterrement était prévu à neuf heures. Il avait à peine vingt minutes pour s'y rendre.

IX

Le cimetière de Maputo, dans sa forme actuelle, est une invention des Blancs. On sent qu'il a connu son heure de gloire en même temps que la colonie. Les plus belles tombes datent de l'entre-deux-guerres, avec leurs pierres sculptées en forme de fronton, leurs ex-voto entourés d'azulejos et la calligraphie soigneuse, en lettres majuscules, du nom des défunts.

Les morts sont toujours seuls, mais ceux-ci paraissaient plus abandonnés encore. La quasi-totalité des familles étant rentrée en métropole après la décolonisation, les tombes sont pour la plupart à l'abandon.

Béliot avait pourtant souhaité être inhumé là. Le caveau était neuf, le monument taillé dans un bloc de calcaire éclatant de blancheur. Tout cela avait dû être préparé bien à l'avance, sans doute sous la supervision de l'ancien chef de chantier lui-même.

Quand Aurel entra dans le cimetière, la bière n'était pas encore arrivée. Il avança dans l'allée jonchée d'aiguilles de pin. L'endroit était agréable, un peu en hauteur, rafraîchi par une brise qui s'était chargée d'humidité en traversant l'océan Indien. Deux grands pins parasol, qui plongeaient dans ce carré de terre saturée de morts, étendaient sur les vivants une ombre surnaturelle.

La petite troupe qui attendait autour de la tombe ouverte suivit des yeux l'arrivée d'Aurel. Pour une fois, il était vêtu pour la circonstance. Le long pardessus foncé qui paraissait si incongru dans les rues de la capitale écrasées de soleil, lui donnait ici une élégance funèbre. Il portait un nœud papillon noir. Partout ailleurs, il lui aurait donné l'air d'un garçon de café mais, ici, il était du meilleur effet.

Aurel avait imaginé qu'il pourrait se placer discrètement derrière le tronc d'un pin, pour observer l'assistance. Avec une entrée pareille, il était illusoire de vouloir se dissimuler. Il prit le parti de se comporter en représentant officiel de l'ambassade. À ce titre, il se dirigea vers Fatoumata, saisit sa main molle et la garda dans la sienne sans la serrer, comme un petit animal qui aurait eu besoin d'être rassuré. Il murmura des mots de condoléances et, pour leur donner autant de mystère que de force, il les prononça en roumain. Son personnage suscitait tellement d'étonnement que nul ne parut s'interroger sur le sens de ces formules incompréhensibles. Fatoumata lui répondit en créole. Elle avait l'air de lui être sincèrement reconnaissante de pouvoir exprimer sa douleur avec les mots intimes de sa langue maternelle. Ensuite, Aurel serra la main du jeune David. Celui-ci tenait Fatoumata par le bras. Il semblait plus affecté par la douleur de sa mère que par le décès d'un père auquel il ressemblait si peu.

Ensuite, Aurel fit un signe de tête au reste de l'assistance et se plaça le long de la tombe, du côté de la pierre dressée sur laquelle étaient déjà écrits le nom de Roger Béliot ainsi que sa date de naissance. Il avait décidément tout prévu. Seule la date de sa mort restait à graver.

Le catafalque se fit encore attendre une dizaine de minutes. Aurel en profita pour détailler l'assistance. Il reconnut le gardien de l'hôtel ainsi que deux Africains qui ressemblaient vaguement à Fatoumata et devaient être des parents. À la droite de la veuve se tenait un Noir d'âge mûr, corpulent et digne, les cheveux presque blancs. Sa bouche tombante, son œil couvert par une paupière lourde lui conféraient un air endormi. L'homme n'exprimait rien, ne cillait pas et donnait à Aurel la désagréable impression qu'il était inaccessible à toute souffrance, mais surtout à toute pitié. Il portait un costume bleu marine léger et une cravate grenat. À sa boutonnière était attachée de travers la rosette sur canapé de l'Ordre de la Libération mozambicain.

Sans l'avoir jamais rencontré, Aurel se douta qu'il s'agissait de l'ancien chef de la police à la retraite, qu'il savait très proche de Fatoumata. À côté de lui, un petit bonhomme mal fagoté, quoiqu'il eût visiblement cherché à se rendre présentable, dansait d'un pied sur l'autre. Il avait boutonné sa chemisette à carreaux et peigné ses cheveux blonds clairsemés. Il était difficile de lui donner un âge : il était émacié et marqué par les stigmates d'un alcoolisme sévère. Quelque chose de slave dans ses traits fit tressaillir Aurel qui avait appris dans la Roumanie communiste à repérer les représentants du cher Grand Frère soviétique. Il se dit qu'il s'agissait probablement du fameux Piotr dont Lucrecia lui avait parlé.

Un peu en arrière de l'Ukrainien se trouvaient deux hommes en tenue de brousse. Ceux-là n'avaient pas cherché à s'habiller pour l'occasion.

Ils portaient les mêmes pantalons de toile et les sahariennes kaki avec lesquels ils devaient parcourir la savane. L'un d'eux tenait à la main un Stetson cabossé, fatigué par la pluie et le soleil.

C'était tout, c'est-à-dire très peu pour un homme qui avait passé tant d'années dans ce pays.

Le corbillard arriva en bringuebalant et se gara devant la grille. C'était une vieille Mercedes break aménagée pour les convois funéraires. Ses amortisseurs avaient lâché depuis longtemps mais le passager n'avait plus le moyen de s'en plaindre.

Six hommes vêtus de costumes sombres fripés approchèrent et s'affairèrent autour du cercueil. L'assistance attendait sans bouger et les observait de loin. Les enterrements d'étrangers étaient rares dans la ville désormais. Visiblement, l'entreprise de pompes funèbres avait mis les bouchées doubles pour cette cérémonie particulière. On avait dû engager des intérimaires. Ils n'étaient pas habitués à ce travail et ils s'agitaient sans trop savoir comment s'y prendre. Un vieux croque-mort en chef tentait de mettre un peu d'ordre dans la procédure. Il criait des instructions en portugais mais cela ne faisait qu'ajouter à la confusion. Finalement, quatre employés se saisirent du cercueil et les deux autres coururent derrière. Il y eut encore un moment pénible quand les porteurs butèrent sur une marche de pierre au milieu de l'allée centrale. Heureusement, ils se rattrapèrent à temps et le cercueil ne tomba pas. C'était une chance car, malgré ses fausses moulures et ses poignées en laiton prétentieuses, il n'avait pas l'air très solide.

Aurel avait observé tout cela avec attention mais sans cesser de guetter l'entrée du cimetière. Depuis son arrivée, il avait l'impression qu'il manquait quelqu'un. Il avait scruté les alentours, pour voir si personne ne se cachait derrière une tombe. Mais il n'avait aperçu Lucrecia nulle part et cela lui paraissait bizarre. Même si elle n'était pas la bienvenue dans cette cérémonie où Fatoumata trônait en majesté, Aurel ne concevait pas qu'elle ait renoncé à venir. En effet, pendant que la pantomime des croque-morts captait l'attention, il la vit qui se faufilait entre les grilles de l'entrée. Elle alla se placer près du tronc d'un pin, en arrière de l'assistance mais à un endroit d'où elle avait une vue sur le caveau.

Si son arrivée était passée inaperçue, elle fut suivie d'une autre qui, elle, eut pour effet de retenir l'attention de tout le monde.

Pendant que les porteurs posaient laborieusement le cercueil à terre et y fixaient des sangles pour le descendre dans la tombe, une voiture noire d'allure officielle se gara derrière le corbillard. Une femme européenne ouvrit la portière arrière et descendit. Elle était vêtue d'une robe d'été en tissu imprimé. Les couleurs du vêtement étaient vives et sa coupe ajustée. C'était une grande femme aux cheveux d'un blond soutenu qui s'efforçait d'imiter le naturel. Ils formaient un contraste excessif avec son visage ridé par les années de soleil. Au lieu de donner l'illusion de la jeunesse, ils soulignaient tout ce qui dans cette bouche, ces paupières, ce cou traduisait les dommages du temps. Rouge à lèvres et mascara, malgré leur emploi généreux n'y changeaient rien, au contraire. Loin de se montrer accablée par ces stigmates de l'âge, la femme semblait les porter crânement, comme des trophées remportés sur l'existence.

Il y avait dans son port, son expression, ses mouvements une majesté, une maîtrise de soi, Aurel aurait même dit une *souveraineté*, qui s'imposait immédiatement à l'assistance.

La femme remonta l'allée en prenant bien garde à ne pas se tordre les pieds, à cause de ses talons. Aurel observa son élégance et sa distinction. Rien ne lui faisait plaisir comme d'admirer une femme. C'était ce sentiment-là, plus que le désir et même que l'amour, qu'il recherchait depuis toujours. Lui qui était capable des pires actes de résistance passive au travail, qui avait tenu tête à une dictature policière et que rien d'autre n'effrayait, il se sentait prêt, si une femme admirée le lui demandait, à abdiquer toute volonté et à se soumettre à toutes ses exigences.

Mais, pendant qu'il regardait bouche bée approcher cette créature, c'est une tout autre expression qui se peignait sur le visage des assistants. À l'évidence, une même pensée traversait les esprits : « Encore une femme de Béliot ! » Les croque-morts eux-mêmes, voyant la scène, suspendirent leurs opérations et attendirent pour procéder à l'inhumation.

Quand enfin la femme atteignit la tombe et la petite troupe qui attendait autour, elle approcha de Fatoumata et se pencha pour lui parler à l'oreille. Nul n'entendit ce qu'elle lui dit. Mais tous virent le visage de la veuve se détendre et même un sourire se former sur ses lèvres.

La tension retomba. La femme prit place dans l'assistance et les porteurs se saisirent du cercueil pour le descendre.

C'est seulement à ce moment qu'Aurel s'avisa d'un détail : il n'y avait aucun religieux pour conduire la cérémonie. Chacun, apparemment, s'en remit à sa croyance. Une fois le corps déposé au fond du caveau, Fatoumata approcha du bord et se recueillit longuement en silence. Les autres défilèrent ensuite, en marmonnant des formules dont ni le sens ni la langue n'étaient clairs et qui étaient parfois encadrées de signes de croix. Aurel, quand vint son tour, récita à voix basse la prière des morts en yiddish. Il s'en voulut d'écorcher certains mots, comme si son grand-père, là où il était, pouvait l'entendre et froncer les sourcils. Pour la forme, et parce qu'après tout il y avait droit aussi, il expédia un signe de croix orthodoxe avec trois doigts.

Le groupe se disloqua après cette bénédiction. Aurel vit la femme inconnue discuter un instant avec Fatoumata près de la grille. Puis la veuve partit, suivie de tous les autres, à l'exception de la femme qui remonta l'allée en direction d'Aurel.

— Pardonnez-moi, monsieur. On me dit que vous représentez le consulat.

— C'est très juste, madame, couina Aurel en se troublant. Je représente monsieur le Consul général.

— De France ?

À cette question, il comprit que son accent, une fois de plus, lui avait joué un tour. D'habitude, lors d'un premier contact, il se contrôlait.

Mais là, sous le coup de l'émotion, il avait perdu toute prudence et repris sa diction des Carpates.

— Je suis Consul de France, oui madame, malgré les apparences. Mon nom est Aurel Timescu.

Il voulut ajouter un petit rire ironique mais il resta coincé dans sa gorge.

— Je suis Nicole Ramoglio. Mon mari est le PDG de l'entreprise CORESPA. Vous connaissez peut-être ?

La plus grande entreprise de BTP de France, l'une des premières en Europe, présente sur les cinq continents. Le « peut-être » était le signe d'une extrême modestie ou, au contraire, une grossière insulte. Aurel préféra la première hypothèse.

— Naturellement, madame. Mais je ne crois pas vous avoir vue sur la liste de nos immatriculés. Vous n'habitez pas ici. Vous étiez en vacances ?

— Je suis venue exprès. J'habite à La Réunion.

— Vous connaissiez bien Roger Béliot ?

— C'est une longue histoire, monsieur Timescu. Ce n'est pas le lieu pour en parler.

Les croque-morts remballaient leur matériel en discutant bruyamment.

— Pourrions-nous nous rencontrer seule à seul ? Je suis descendue à l'hôtel Radisson Blu.

— Très volontiers.

— Seize heures vous irait ?

Aurel opina.

— Je vous attends.

Elle lui tendit la main. Au mépris des usages, dans ce cimetière et en plein air, il la baisa.

Mais c'était encore trop peu. Devant une telle femme, il aurait volontiers choisi de mettre un genou à terre et de joindre les mains sur son cœur.

Il la regarda partir, mit un temps à reprendre ses esprits puis se souvint qu'il voulait voir Lucrecia pour lui poser une ou deux questions. Il la chercha partout dans le cimetière. Elle avait disparu.

*

Pour qu'il se rende à l'enterrement, Morteau avait mis sa propre voiture de fonction et son chauffeur à la disposition d'Aurel. Celui-ci avait pris ce geste pour un mouvement de générosité. Mais en retournant vers la longue Citroën bleu foncé à la sortie du cimetière, il comprit que l'intention du Consul général était moins désintéressée qu'il ne l'avait cru. En lui prêtant sa voiture, il lui prêtait du même coup le téléphone du chauffeur et Aurel devenait joignable. À peine eut-il ouvert la portière que le conducteur lui tendit son mobile.

— Monsieur le Consul général en ligne, pour vous.

Aurel fit une grimace. Cet appel bouleversait ses plans. Mentalement, il avait organisé sa journée sans avoir Mortereau avec lui. Et voilà qu'il le retrouvait dans ses pattes.

— L'enterrement s'est bien passé ?

— Sans incident.

— Du monde ?

— Une dizaine de personnes.

— Toutes connues dans la ville, j'imagine ?

— La plupart. Mais il y avait aussi deux broussards et un type qu'on ne voit jamais nulle part, cet Ukrainien qui servait d'homme à tout faire à Béliot.

Aurel se demanda s'il devait mentionner Mme Ramoglio. En prononçant ce nom célèbre, il était sûr de voir Mortereau rappliquer. Il préféra ne rien dire.

— De mon côté, reprit le Consul général, je voulais vous demander de m'excuser. J'avais l'intention de vous rejoindre et de continuer l'enquête avec vous. Malheureusement, il y a eu un incident avec les écolos et je ne peux pas les lâcher.

— Un incident… grave ?

— Non, un truc comme il ne s'en produit qu'ici. Figurez-vous qu'on ne retrouve plus les défenses.

Aurel était un peu loin du sujet. Sa pensée vagabondait du côté de l'enterrement et de ce qu'il y avait observé.

— Je vous demande pardon. Quelles défenses ?

— Les écolos sont venus pour assister à la destruction d'un stock de deux mille défenses d'éléphants confisquées aux braconniers

— Ah oui, les défenses ! Et alors, elles ont disparu ?

— Quand on est arrivés au hangar des douanes, on l'a trouvé vide. Plus une seule défense. Vous auriez vu la tête des écolos.

— Elles n'étaient pas gardées, ces défenses ?

— Bien sûr que si ! Tout ce qu'il y a de plus gardées. La salle est un vrai coffre-fort ; elle a été construite avec des fonds de l'Organisation des Nations unies pour l'environnement. Il y a un gardien devant jour et nuit et, de toute manière, elle se trouve dans l'enceinte de la Direction générale des douanes.

— Un cambriolage, vous croyez ?

— Trop tôt pour le dire. Tout ce que je sais, c'est que si on ne les retrouve pas, ça va faire un barouf d'enfer. Le pays a reçu beaucoup d'argent ces dix dernières années parce qu'il se veut exemplaire dans la lutte contre le braconnage.

— Qu'est-ce qu'ils vont faire, vos écolos ?

— Pour l'instant, on leur a dit que les défenses avaient été transférées ailleurs. Je connais les Mozambicains ; ils vont les balader. Et si ça tourne mal, ils sont capables d'essayer de les intimider pour qu'ils se taisent. Il faut que je reste avec eux. Désolé, mon vieux, vous allez devoir continuer l'enquête tout seul.

Aurel prit un air navré, ce qui ne servait à rien puisqu'il était au téléphone. Cela l'aida quand même à mettre une forte déception dans sa voix.

— Quel dommage !

— Ne vous en faites pas. Je suis avec vous moralement. Vous allez y arriver.

— En tout cas, je vous tiendrai au courant en temps réel de tout ce que je découvre.

Et, pour mettre cet engagement à exécution sur-le-champ, il commença par ne rien dire du rendez-vous fixé avec la fameuse Mme Ramoglio...

*

— Aurel Timescu ?

— Lui-même.

— Dites donc, vous êtes difficile à joindre, vous. C'est Bartolomeo.

— Bonjour Maître. Je ne suis pas souvent au bureau. À vrai dire, vous avez de la chance ce matin…

— J'ai du nouveau pour vous. À propos des questions que vous m'avez posées sur Béliot.

— Merci. Merci.

— Voilà : j'ai trouvé le nom du confrère qui soutient la plainte de sa première femme.

— Hippolyte Bakasso.

— Vous le saviez ? Vous auriez pu me le dire, ça m'aurait fait gagner du temps…

— Je l'ai appris après vous avoir eu en ligne…

— Peu importe. Ce n'est pas l'essentiel.

— Je vous écoute, Maître.

Bartolomeo se racla la gorge. Aurel l'imaginait affalé dans son grand fauteuil. Il crut l'entendre cracher dans sa corbeille à papier.

— C'est bien ce que je pensais. La plainte en question est totalement bidon. C'est le genre de demande qui fait hurler de rire un président de tribunal. Françoise Béliot n'avait pas le début du commencement d'une chance d'arriver à quoi que ce soit ici. Tout le monde pouvait le savoir et son avocat mieux que personne.

— Il l'a roulée ?

— Il a fait son boulot. C'est un jeune. Il faut qu'il bosse. Une Française lui confie une affaire, il la défend.

— En lui racontant qu'elle va gagner…

— Vous connaissez beaucoup de médecins qui vous disent : « Prenez ce médicament, il va vous tuer » ?

L'avocat s'esclaffait bruyamment et applaudissait à sa propre plaisanterie. Aurel se crut obligé d'émettre quelques notes aiguës qui pouvaient passer pour un petit rire.

— Bon, trêve de plaisanterie, reprit Bartolomeo d'une voix sérieuse et grave. Ce Bakasso est un petit salopard véreux. Ça reste entre nous, Timescu. Mais puisque je suis l'avocat du consulat, mon devoir est de vous dire la vérité.

— Merci.

— Le bâtonnier l'a à l'œil. Il s'en passe pourtant de belles ici. Mais lui, ça se voit trop qu'il touche, vous me comprenez ?

— Très bien.

Aurel sentit que Bartolomeo se rapprochait du combiné. Il l'entendit souffler jusqu'à saturer la ligne. Puis sa voix retentit, plus forte et déformée par l'appareil.

— Je peux vous en dire un peu plus, si vous voulez. Le Bakasso, là, il ne s'est pas contenté de se faire payer par la Française. Il a touché sur les deux tableaux.

— Vous voulez dire qu'il est allé voir la partie adverse ?

— Fatoumata. Bien sûr. L'agent double, vous voyez ce que je veux dire ?

Aurel réfléchit un long moment.

— Une grande partie de la présomption qui pèse sur Françoise Béliot vient d'une déclaration de son avocat aux policiers.

— À propos de quoi ?

— Il leur a dit qu'il avait fini par lui annoncer que la procédure risquait de ne pas aboutir. Et qu'elle lui aurait annoncé alors qu'elle se faisait fort d'obtenir de Béliot un papier en sa faveur. La police pense que c'est en essayant de le lui extorquer qu'elle aurait fini par le tuer.

Cela recoupait exactement ce que le ministre avait dit à Mortereau. C'était donc le propre avocat de Françoise qui l'avait chargée auprès de la police. À l'autre bout du fil, Bartolomeo éclata d'un rire entrecoupé de quintes de toux.

— Sacrée Fatoumata !

— Vous pensez qu'elle a pu souffler ça à l'avocat ?

— Bien entendu. Si elle a payé Bakasso, comme je le crois, ce n'est pas seulement pour apprendre que Françoise allait perdre son procès, ce que tout le monde à Maputo pouvait deviner.

— Bakasso aurait aussi dit aux flics que Béliot avait signé un testament en faveur de son fils David et qu'il le gardait par-devers lui. Manière de suggérer que Françoise aurait pu s'en emparer pour le détruire après avoir tué son ex-mari. Cela constitue un mobile supplémentaire.

Aurel entendit au bout de la ligne un grincement aigu et un choc lourd. Il comprenait que Bartolomeo s'était redressé dans son fauteuil articulé et avait atterri, penché en avant, les coudes posés bruyamment sur le bureau.

— Là, il faut siffler la faute ! s'écria-t-il.

— Pourquoi ? Il y a bien eu un testament, vous me l'avez dit vous-même.

— En effet, Béliot a bel et bien signé un papier dans ce sens. Mais j'ai vérifié auprès du clerc qui assistait le notaire à l'époque : ce document a été remis à Fatoumata elle-même.

— Fatoumata n'avait donc rien à craindre, ni qu'un nouvel enfant spolie son fils, ni que Françoise obtienne gain de cause.

— Elle était bordée de tous les côtés.

— Alors pourquoi avoir fait répandre ces bruits par Bakasso ?

— Pour accuser Françoise, la bonne blague. Les deux femmes ne s'aiment pas. Je pense que vous l'avez compris.

— C'est la seule raison ? Est-ce qu'en faisant accuser Françoise Fatoumata n'a pas voulu cacher sa propre implication dans le meurtre ?

Bartolomeo mit la main sur le téléphone et Aurel l'entendit dire quelque chose d'un ton rogue. Il traitait toujours son personnel avec brutalité. Une secrétaire avait dû le déranger imprudemment.

— Écoutez, reprit-il, il n'y a selon moi aucune raison pour que Fatoumata ait pris le risque de faire assassiner Béliot. Elle contrôlait parfaitement la situation et n'avait qu'à attendre tranquillement sa mort – qui n'aurait sans doute pas tardé. Par contre, il y a toutes les raisons pour qu'elle ait essayé de couler Françoise, qu'elle déteste, en achetant son avocat.

Aurel médita ce verdict. Les révélations de Bartolomeo expliquaient pourquoi Françoise était en prison mais elles ne permettaient pas d'avancer sur l'identité du meurtrier. Si l'on suivait l'avocat, il y avait deux innocentes, dont une chargeait l'autre. Cependant, vu le ton définitif de Bartolomeo dans sa dernière phrase,

Aurel jugea plus prudent de ne pas relancer la discussion.

— Je vous remercie, Maître. Une toute dernière chose.

— Quoi ?

— Cette histoire de testament… Accepteriez-vous de témoigner devant la police ? Pour dire officiellement ce que vous venez de me confier, à savoir que Béliot ne gardait pas ce papier avec lui.

Les mimiques de Bartolomeo étaient toutes reconnaissables au bruit qui les accompagnait. Aurel perçut le mâchonnement caractéristique d'une expression typique de l'avocat : il faisait mine de goûter un plat ou un vin et le tournait longuement dans sa bouche tout en hochant la tête comme pour dire : « Je n'aime pas. »

— Voyez-vous, monsieur le Consul, vous êtes un étranger ici et je ne sais pas comment cela se passe en France ou dans votre pays d'origine. Mais chez nous, dans un certain milieu, tout le monde se connaît. Il faut faire attention. Fatoumata Béliot est une femme importante, sa famille est de sang noble. C'est une amie, de surcroît. Je ne me permettrais jamais d'intervenir dans ses affaires. Quant au clerc de notaire, c'est un petit bonhomme sans défense et il ne dira jamais un mot non plus.

— Mais vous êtes l'avocat du consulat. Il s'agit de sauver une ressortissante française accusée à tort.

Bartolomeo ne réussit même pas à aller jusqu'au bout de cette phrase qui était devenue au fil du temps une réplique de farce. Et il cacha son éclat de rire dans des raclements de gorge.

X

Aurel devait absolument voir Lucrecia. Depuis qu'il avait assisté à l'enterrement de Béliot, il avait l'esprit occupé par des questions auxquelles elle seule, si elle l'acceptait, pouvait répondre.

Il se fit conduire en taxi jusqu'à la Résidence dos Camaroes. Mais le gardien l'informa que Lucrecia avait fait ses bagages la veille au soir et qu'elle était partie.

— Je crois elle chez sœurs.

— Sa sœur ? Elle a une sœur ?

— Non. Sœurs catholiques. Bonnes sœurs.

— Lesquelles ?

Le gardien rentra dans sa guérite et revint avec un papier.

— Les Carmélites, lut Aurel, sur la route de l'aéroport.

Il remonta dans son taxi et partit en direction du couvent. Le chauffeur ne connaissait pas et, faute d'adresse précise, ils tournèrent longtemps dans le quartier, en interrogeant les passants. C'était une extension de la ville, construite dans les années cinquante, où l'on ne voyait aucun immeuble. Les rues étaient encadrées de hauts murs qui cachaient des villas sans étage, entourées de végétation. Le portail des sœurs ne se distinguait pas des autres mais un gardien apparut quand le taxi klaxonna et confirma que c'était bien là. Aurel se fit annoncer. Une sœur africaine vêtue d'un surplis beige et d'une cornette blanche vint le chercher. Elle ne parlait pas français et seul le nom de Lucrecia lui disait quelque chose. Elle fit traverser à Aurel un jardin presque aussi luxuriant que celui de Béliot mais plus naturel, dépourvu de plantes en bacs et de pots suspendus. Puis elle l'introduisit dans une longue véranda et le fit asseoir sur une banquette, en le priant par gestes d'attendre quelques instants.

Le lieu était silencieux et clair, dépourvu d'odeurs humaines. Un crucifix de fer était accroché au-dessus d'une porte. Deux images de la Vierge et de l'Enfant Jésus, reproductions d'icônes byzantines, étaient punaisées au mur. Sur la table basse, des exemplaires anciens de

L'Osservatore romano relataient les faits et gestes du pape.

Aurel s'était toujours senti étranger aux lieux que la religion isole du reste de l'humanité. La foi, pour lui, et en cela il reconnaissait l'influence de la partie juive de sa famille, était un outil à utiliser dans le monde. Créer un espace purement spirituel lui apparaissait comme une sorte de tricherie. La religion ne devait pas refuser le combat avec la vie. Or la vie est partout, sauf dans un tel lieu.

Il resserra son col comme si cette idée l'avait soudain glacé. À cet instant, une sœur apparut. C'était une Européenne, vêtue du même habit que la sœur tourière. Elle avait une soixantaine d'années, un visage carré et des yeux bleus qu'elle tenait grands ouverts, comme pour empêcher son interlocuteur de lui cacher la moindre parcelle d'impiété. Aurel aimait beaucoup ces regards qui vous récurent en profondeur, vous brossent l'âme et ne laissent aucun doute sur votre propre culpabilité. Tout ce qu'il y avait en lui de masochisme frétillait d'aise. Il se présenta et fit aveu de son origine roumaine, comme s'il se fût agi d'un péché.

— C'est drôle ! s'écria la sœur en français mais avec un fort accent slave. Je suis moldave !

Mon nom de religion est Sœur Marie de l'Incarnation mais mon prénom de baptême était Doruta.

Elle ajouta quelques mots en roumain auxquels Aurel répondit avec reconnaissance. Puis, ils revinrent au français.

— Je suis à la recherche d'une jeune Mozambicaine qui, m'a-t-on dit, réside chez vous depuis hier.

— Lucrecia ?

— Elle-même. Nous faisons une enquê... enfin, disons un dossier consulaire, à propos de la mort de M. Roger Béliot.

En prononçant ce nom, Aurel pensa soudain à la grossesse de Lucrecia, à ce que Françoise lui avait dit des relations sexuelles de la jeune fille avec le vieil homme, et il se troubla. La sœur ne lui fit pas la grâce d'éteindre un instant le phare de ses yeux. Il fut certain qu'elle avait tout vu en lui.

— C'est exact, confirma Sœur Marie de l'Incarnation. Lucrecia est arrivée chez nous et compte y rester jusqu'à son accouchement.

— Pensez-vous que je puisse la voir quelques instants ?

— Certainement. Mais il faudra que vous attendiez son retour. Elle ne va pas tarder. Elle est partie à la clinique pour un contrôle médical. Après toutes ces émotions…

C'était la plus terrible et la plus délicieuse des épreuves pour Aurel. Il allait devoir rester en tête-à-tête avec la religieuse, soutenir son regard sans pouvoir s'échapper et en trouvant suffisamment d'énergie pour alimenter une conversation. De telles circonstances excluaient toute ruse et toute tentation de débiter des banalités. Aurel, sans même le décider, se mit à poser les questions qu'il avait sur le cœur, certain que la sœur, de toute façon, les lisait en lui.

— Vous connaissez Lucrecia depuis longtemps ?

— Elle nous a été confiée à douze ans. Nous tenons un pensionnat pour filles, sans doute le saviez-vous ?

— Je l'ignorais.

— C'est dans une autre partie de la ville. Nos sœurs là-bas s'occupent de filles qui ont fui leurs villages. La condition de ces enfants est très dure, dans les campagnes. Pour les filles surtout.

— Vous leur faites suivre des études ? Vous les placez ?

— D'abord, nous les mettons à l'abri. Ces filles subissent souvent des sévices sexuels dès leur puberté et parfois même avant.

Il y avait dans le ton de la sœur un reproche général contre l'espèce masculine à laquelle Aurel, quoiqu'il ne se fût jamais livré à de tels forfaits, se sentait plus que jamais coupable d'appartenir.

— Ensuite, nous leur permettons de suivre un enseignement si elles le désirent. Mais elles sont libres. Elles vont et viennent en ville. Nous respectons leurs décisions, pour autant qu'elles ne soient pas imposées par la contrainte. Celles qui veulent rester et suivre des études le font, d'autres préfèrent travailler, d'autres fondent une famille.

— Et Lucrecia ?

— Lucrecia voulait travailler. Ce n'est pas une intellectuelle. Elle est un peu futile, vous l'avez remarqué. Elle voulait être coiffeuse et nous l'avons placée comme apprentie dans un salon de coiffure, avenue de la Libération.

— C'est là qu'elle a rencontré Roger Béliot ?

— Il était client du salon.

Aurel avait bien envie de baisser les yeux mais Sœur Marie de l'Incarnation tenait toujours les siens braqués sur lui et ne lui permettait pas cette faiblesse.

— Tout de même, s'entendit-il gémir, elle avait douze ans.

— Treize. Et elle était très précoce, grande et plantureuse.

— Oui mais, ma sœur, treize ans…

— Je ne vais pas vous raconter en détail l'histoire de Lucrecia, monsieur le Consul. Sachez tout de même qu'elle a traversé de graves épreuves avant d'arriver ici. La vie lui a fait payer très tôt les qualités dont la nature l'a gratifiée.

Aurel comprit ce qu'elle voulait dire : Béliot n'avait pas été le premier. Cette manière d'atténuer la responsabilité du vieil homme lui parut un usage excessif de la miséricorde.

— Je ne porte aucun jugement, reprit la sœur, sur les actes de ce monsieur qu'au demeurant je n'ai jamais rencontré. Je vous explique juste comment se situe cette liaison dans la vie de Lucrecia. Cet homme, quels que fussent ses défauts par ailleurs, a été bon avec elle et l'a protégée. Elle lui en a toujours été reconnaissante.

Cette redoutable sœur, avec sa perspicacité divine – ou diabolique –, était allée au-devant d'une question qu'Aurel n'avait pas cessé de se poser : qu'y avait-il derrière la froide indifférence de Lucrecia lorsqu'elle parlait de Béliot ? Était-elle simplement soumise, écrasée par le rapport de forces, d'âge et de fortune qui la rendait dépendante de lui ? Ou bien était-ce seulement l'effet de sa nature lymphatique ? Dans la deuxième hypothèse, il fallait s'en tenir aux paroles respectueuses et presque affectueuses que Lucrecia avait prononcées au sujet de Béliot et écarter l'idée qu'elle ait voulu le tuer. Dans le premier cas, on ne pouvait rien exclure. Peut-être nourrissait-elle à l'égard de son « bienfaiteur » une haine sourde, inexprimée et inexprimable, qui, le moment venu, aurait pu la conduire au meurtre. Tel était le problème qu'Aurel se posait en arrivant.

Sœur Marie de l'Incarnation, en trois phrases, venait de lui apporter la solution. Lucrecia voyait Roger Béliot sinon comme un sauveur, du moins comme quelqu'un qui lui avait apporté beaucoup. En d'autres termes, la religieuse lui avait fait comprendre que Lucrecia ne voulait aucun mal à Béliot et que, peut-être même, elle tenait à lui. Ainsi la sœur, qui en savait certainement très long sur la jeune fille, elle qui recueillait ses confidences, pour ne pas dire ses confessions, apportait son démenti aux soupçons qu'elle avait perçus chez Aurel. Il s'en trouvait soulagé. Il éprouvait pour Lucrecia une sympathie et une confiance qu'il fut bien aise de savoir méritées.

Ce soulagement fut d'autant plus complet que Lucrecia apparut à ce moment-là à l'entrée du jardin. Elle approcha de la véranda en se dandinant, de son pas de femme enceinte.

— Je vous laisse vous entretenir avec elle, dit Sœur Marie de l'Incarnation en se levant.

Aussitôt, comme on voit avec soulagement s'éteindre un projecteur qui vous aveugle, Aurel sentit les yeux de la religieuse se détourner de lui.

— Tiens, vous êtes là, monsieur le Consul.

Lucrecia était indifférente, comme à l'ordinaire. Sa remarque contenait aussi peu d'émotion que si elle avait déclaré : « Il fait beau. »

— Je vous ai cherchée à l'enterrement mais vous aviez disparu.

Elle ne dit rien. Elle se contenta d'entrer dans la véranda et de s'asseoir sur un des canapés.

— Excusez-moi. Avec la chaleur...

Aurel s'installa en face d'elle.

— Ça va, le bébé ?

— Le docteur dit que tout est normal.

— À la bonne heure ! Je ne vous ai pas demandé si c'était un garçon ou une fille.

— Une fille.

Elle avait mis un peu plus d'enthousiasme dans sa réponse. Aurel pensa qu'elle était certainement contente d'avoir bientôt une petite poupée à coiffer, à habiller.

— Qu'est-ce que vous allez faire, maintenant ? Vous avez un peu d'argent ?

— Rien. Avec Roger, on ne se doutait pas… On vivait comme ça.

— Tout de même, il était malade. Il n'avait vraiment rien prévu pour vous au cas où…

— Roger était un peu spécial, vous savez. Il pouvait être très méfiant. Il lui arrivait même d'enregistrer des conversations quand il n'avait pas confiance. Et à côté de cela, insouciant pour d'autres choses.

— En plus, vous m'avez dit qu'il n'aimait pas évoquer sa mort.

— Personne n'aime ça.

Aurel pensait à son père, franc-maçon et esprit fort, qui avait toujours pris un malin plaisir à parler de sa mort, provoquant un scandale dans la partie religieuse de la famille. Il s'était même fait construire un cercueil de son vivant et l'avait essayé devant sa femme et ses enfants…

— Écoutez, reprit-il en chassant cette pensée, je ne suis pas venu vous parler de cela.

— De quoi, alors ?

— J'ai besoin de votre aide.

— Si je peux vous être utile…

— Vous avez vu comme moi les personnes qui étaient au cimetière. Le gros Africain, c'est l'ancien chef de la police ?

— Ignace Mbala. Oui. Et le cousin de Fatoumata.

— Son cousin ? Je croyais qu'il était son amant.

— Ça n'empêche pas. Quand on dit cousin, chez nous, c'est assez large.

— Je vois. Et à côté, le petit bonhomme blond. Piotr ?

— Oui.

— Il venait souvent à l'hôtel ?

— Tous les jours.

— Béliot le payait ?

— Sûrement. Je n'en sais rien. Il avait aussi des problèmes de papiers. Personne n'a jamais trop compris comment il est arrivé dans le pays. Apparemment, il n'avait aucun titre de séjour au Mozambique. Je sais que Roger est intervenu pour lui, parce qu'une fois Piotr avait été mis en prison à cause de ça.

— Et, en retour, qu'est-ce qu'il faisait pour Béliot ?

— Impossible de savoir. Roger ne mélangeait pas les gens. Quand Piotr venait, il n'y avait personne d'autre et j'étais obligée de rester cachée.

— Il venait le matin ou le soir ?

— Les visiteurs venaient toujours après la tombée de la nuit. La plupart passaient par le portail. Mais ceux qui étaient presque de la maison, comme Piotr, avaient une clef qui ouvre une autre entrée, au fond du jardin, près du générateur.

— Donc, des personnes ont pu venir le soir du crime sans être vues du gardien.

— Bien sûr.

— Vous l'avez dit à la police ?

— Personne ne m'a rien demandé.

— Ça aurait pu aider Françoise.

— C'est peut-être pour ça qu'ils ne m'ont pas posé cette question. Ils avaient l'air de considérer qu'elle était forcément coupable.

Lucrecia prenait cette injustice comme tout le reste : le monde est dur aux innocents. À moins que, pour elle, il n'y eût que des coupables.

— Et les deux broussards ?

— Broussards ?

Ce vieux mot n'avait sans doute plus cours. Aurel rougit un peu.

— Les deux Blancs en saharienne, avec des chapeaux de brousse.

— Des chasseurs.

— Béliot les voyait souvent ?

— Ceux-là, je ne sais pas. Mais il s'est toujours intéressé à la chasse. Autrefois, il chassait lui-même.

— Il chassait quoi ?

La fille haussa les épaules. Comme si c'était une question ! Visiblement, elle ne portait aucun intérêt à ces sujets, et il était peu probable que Béliot l'ait tenue au courant de ce genre de détails. Puis, tout à coup, elle parut se souvenir de quelque chose.

— Une fois, il m'a dit qu'il avait chassé l'éléphant. Il avait expliqué qu'il fallait viser l'œil, quelque chose comme ça.

— Mais il ne devait plus chasser depuis longtemps, compte tenu de son état de santé…

— En effet. Mais il continuait à aller aux fêtes du club de chasse. Et il avait le projet de monter un circuit de chasse pour les touristes.

Aurel avait ressorti son calepin Moleskine et il notait.

— Vous dites qu'il ne recevait jamais ses visiteurs ensemble. Comment pouvait-il savoir qu'ils n'allaient pas tomber les uns sur les autres ? Ils prenaient rendez-vous par téléphone ?

— Roger ne faisait pas confiance au téléphone. Il était persuadé qu'on l'écoutait.

— Alors ?

Lucrecia parut hésiter.

— Il y avait la piscine.

— La piscine ! Quoi, la piscine ?

— La couleur. Vous avez peut-être vu. Il y a un bouton qui permet de changer la couleur de l'éclairage. Roger avait fait mettre l'interrupteur devant son fauteuil sur la terrasse.

— Et donc ?

— Quand quelqu'un se présentait à l'entrée du jardin, il lui suffisait de regarder de quelle couleur était la piscine pour savoir s'il pouvait approcher.

— Il y avait une couleur pour chacun ?

— Oui. Piotr, c'était rouge. Roger disait que c'était pour lui rappeler le communisme.

— Les autres ?

— Ignace, bleu.

— C'est le policier.

— L'ancien chef de la police, oui. Vert, c'était pour les chasseurs. Jaune, c'était pour Fatoumata.

— Elle aussi, elle devait respecter les couleurs ? Elle était chez elle, tout de même.

— Personne n'était chez lui, la-bas. Sauf Roger.

— Et vous ?

— Moi, c'était blanc. Ça voulait dire qu'il n'attendait personne.

— Et Françoise ?

— Françoise ? Il n'y avait pas de couleur pour elle. Il ne voulait pas qu'elle approche.

D'ailleurs, je crois que personne ne lui avait expliqué le code.

Aurel regarda sa montre. Il devait se dépêcher pour arriver à l'heure au rendez-vous fixé par Mme Ramoglio.

— Monsieur le Consul ?

— Oui ?

— Avant que vous ne partiez, je peux vous poser une question, à mon tour ?

— Bien sûr.

— La femme qui est arrivée pendant la cérémonie.

— Eh bien ?

— Qui est-ce ?

Maintenant qu'Aurel savait, grâce à Sœur Marie de l'Incarnation, que Lucrecia était vraiment attachée à Béliot, il pouvait interpréter l'éclat dans son œil, pendant qu'elle posait cette question.

— C'est la femme d'un grand patron du BTP. Et elle n'a jamais été la maîtresse de Roger.

Lucrecia eut un pâle sourire, vite effacé par une grimace, et posa les mains sur son ventre.

— Votre fille s'impatiente ? dit Aurel.

Puis, terrifié d'avoir osé une telle familiarité, il prit la fuite.

XI

Nicole Ramoglio attendait dans le hall de son hôtel. Elle suggéra à Aurel de la conduire en ville dans sa voiture.

— Je suis ici pour une seule journée. J'aimerais voir un peu autre chose que les murs de ce building impersonnel. Vous connaissez sûrement un endroit agréable pour prendre un verre. Une terrasse, par exemple ?

Aurel se troubla. Il n'était déjà pas très porté sur les sorties mais, en plus, devant cette femme impressionnante, il perdait tous ses moyens.

— Heu... oui, bien sûr.

Le chauffeur de Mme Ramoglio avait avancé la longue voiture noire et ils montèrent à l'arrière. Aurel, par distraction, s'était assis du côté droit, c'est-à-dire à la place d'honneur, selon le protocole. Il se mit à bredouiller des excuses. Le chauffeur le regardait dans le rétroviseur intérieur. C'était un jeune Mozambicain d'allure sportive. On voyait saillir ses muscles sous son costume bleu cintré.

— Où va-t-on ? s'impatienta-t-il.

— Vous connaissez... la maison Eiffel ?

Le chauffeur haussa les épaules. Tout le monde connaissait la maison Eiffel à Maputo. C'était une construction entièrement métallique, édifiée selon des plans d'Eiffel lui-même. L'idée n'était pas mauvaise en soi. Malheureusement, dans un pays où le soleil tape aussi fort, cette boîte en métal était plutôt une sorte d'ancêtre du four à micro-ondes.

— Qu'est-ce que vous cherchez exactement ? insista le chauffeur.

Aurel se souvenait vaguement d'être allé prendre un apéritif dans ce quartier à l'invitation de Mortereau quand il était arrivé, mais il avait oublié le nom de l'endroit.

— Je vous montrerai quand on sera dans le coin.

Le jeune chauffeur avait l'air furieux.

— Prosper est d'ici, intervint Mme Ramoglio. Il connaît bien la ville. Il travaille pour le directeur de notre agence dans le pays. Nous avons un assez gros bureau au Mozambique, même si les affaires en ce moment sont un peu ralenties. Allez-y, Prosper, faites comme vous dit monsieur le Consul.

— Puis-je vous poser une question, madame ? murmura Aurel sur un ton de chanoine.

C'était surtout un moyen d'exclure le chauffeur de la conversation.

— Je vous en prie.

— Comment avez-vous su que Roger Béliot était mort et que l'inhumation avait lieu aujourd'hui ? Vous ne vivez pas ici…

— Un site professionnel publie sur Internet une lettre confidentielle à laquelle mon mari est abonné. Elle donne des nouvelles de tous les gens actifs dans le BTP à l'export. La mort de Roger y a été annoncée et ils ont indiqué la date des obsèques.

— Il était pourtant à la retraite depuis longtemps et ne voyait plus grand monde.

— Tout de même, il restait une figure dans la profession. Quelqu'un a dû signaler sa mort et le site l'a relayée. Ils ont même publié une courte biographie.

— On est devant la maison Eiffel, intervint le chauffeur. On va où maintenant ?

Aurel avait complètement oublié la route. Il regarda à droite et à gauche, sans reconnaître le moindre bistrot.

— C'est un grand restaurant avec une terrasse, bredouilla-t-il. Ils font bar et glacier aussi.

Glacier ! Où allait-il chercher ça ? Sa grand-mère, qui se souvenait du Brasov d'avant-guerre, appelait « glacier » une horrible épicerie communautaire dans laquelle il lui était arrivé de trouver des esquimaux industriels.

Le chauffeur lui lança un coup d'œil méprisant.

— Di Como ? lança-t-il par charité.

— Voilà ! Exactement. C'est le nom que je cherchais.

— Di Como n'est pas dans le quartier de la maison Eiffel mais derrière la Marginale.

— Excusez-moi, excusez-moi.

— Eh bien, Prosper, allons-y, intima la femme.

Le chauffeur fit un demi-tour sec, en hochant la tête.

— Et si vous me permettez une autre question, madame, reprit Aurel, comment avez-vous connu Roger Béliot ?

Mme Ramoglio prit une longue inspiration, comme pour se donner de l'élan.

— Ça remonte à très loin, monsieur le Consul. Très, très loin. Mon père était forestier au Gabon, à l'époque coloniale. Il y avait toutes sortes de forestiers à cette époque, des petits et des grands. Mon père était un très grand. Il était parti de rien mais il avait réussi à construire une énorme entreprise avec des machines modernes, une flotte de camions, des centaines d'employés. J'ai été élevée là-bas, dans la forêt équatoriale.

Aurel avait du mal à imaginer cette femme raffinée au milieu des tronçonneuses et des camionneurs. En même temps, il savait d'expérience que ce genre d'enfance produit souvent des caractères farouches, solitaires et fiers.

— Plus tard, mon père s'est diversifié et il s'est lancé dans les travaux publics. Il avait un fils spirituel, un jeune gars, presque un gamin. Nous l'avions vu débarquer d'un cargo un jour, à Libreville, sans un sou. C'était Roger Béliot.

— Qu'est-ce qu'il venait faire là ?

— Le tour du monde. C'est du moins l'explication qu'il a donnée à mon père. Il avait quitté la maison familiale pour voyager. À mon avis, il s'agissait plutôt d'une fugue. Il avait un air si juvénile que, même en mentant sur son âge, il n'arrivait pas à inspirer confiance aux capitaines de navires. Le seul bateau qui avait accepté de le prendre allait au Gabon.

— De quelle région de France venait-il ?

— Il était né à Desvres, dans le Pas-de-Calais. Mais ses parents avaient divorcé et il s'était installé avec sa mère à Boulogne-sur-Mer.

— On est au Di Como, madame, annonça le chauffeur, en ignorant sciemment Aurel.

Ils descendirent. On entrait dans le restaurant par une sorte de défilé étroit, entre des murs en pierre sèche. À l'intérieur, ils trouvèrent la terrasse complètement déserte. Seuls deux serveurs étaient occupés à disposer les verres et les couverts, pour le dîner. Ils firent signe à Aurel qu'ils pouvaient s'installer où ils voulaient. Ils s'assirent près de la balustrade, qui dominait tout un quartier de toits en tôle, d'où dépassait, de loin en loin, le grand panache vert de hauts manguiers.

Mme Ramoglio poursuivit la conversation.

— J'ai appris la mort de Roger mais je ne sais pas grand-chose d'autre. Je ne l'ai pas revu depuis de longues années. J'ignore tout des circonstances de sa mort et je compte sur vous pour m'en apprendre un peu plus.

Aurel s'éclaircit la gorge et entama une longue explication qu'il jugea un peu confuse. S'y mêlait ce qu'il savait sur le meurtre de Béliot et sur la vie du vieil hôtelier à Maputo.

Mme Ramoglio écouta sans rien dire. Quand Aurel se tut, elle regarda un long instant l'horizon poussiéreux de la ville qui commençait à s'assombrir.

— Ce que vous me dites ne m'étonne pas, dit-elle pensivement. Je ne suis pas surprise qu'il ait été entouré de toutes ces femmes. À vrai dire, c'est comme ça que je l'imaginais.

— Comment était-il quand vous l'avez connu ?

— C'était un tout jeune homme, je vous l'ai dit. Il était charmant. Tout le monde l'aimait. Je ne pourrais pas dire qu'il était joli garçon mais il y avait en lui une franchise, une gaieté, une énergie qui séduisaient tous ceux qui l'approchaient. J'étais fille unique ; mon père a tout de suite considéré Roger comme son fils. Il l'associait à tout, lui confiait les affaires sensibles.

— Et vous ? Quels rapports entreteniez-vous avec Roger ?

— Moi, c'est curieux, je n'ai jamais été amoureuse de lui. Je l'aimais, mais comme un frère. J'étais bien la seule, d'ailleurs. Il tournait la tête de toutes les femmes, mes copines en étaient folles et les dames d'âge mûr parlaient de lui avec émotion.

— Et lui, était-il… épris de vous ?

— C'est bien possible, justement parce que je ne l'étais pas. Sur le moment, il n'a rien fait pour le montrer. Mais la suite des événements peut le laisser penser.

Ils avaient commandé deux thés citron. Le serveur déposa sur la table en mosaïque devant eux tout un service de tasses, de soucoupes, de théières et de coupelles contenant du sucre sous plusieurs formes, des épices, un assortiment de pétales de fleurs et, bien sûr, les tranches de citron.

— Il est resté longtemps chez vous ?

— Près de dix ans. Il était devenu le collaborateur le plus proche de mon père. Cependant, au bout de trois ans, il a dû accepter la présence d'un autre garçon que mon père aimait aussi beaucoup. C'était un cousin très éloigné et ses parents nous l'avaient confié pour qu'il acquière une première expérience professionnelle. Ce garçon s'appelait Jean-Louis Ramoglio.

— Ramoglio, comme... ?

— Oui, le patron actuel du groupe. C'est-à-dire mon mari.

Aurel avait une furieuse envie de sortir son calepin et de prendre des notes mais il n'osait pas. Ils restaient dans la fiction d'une conversation à bâtons rompus. S'il manifestait trop d'intérêt, son interlocutrice risquait de se méfier.

— C'est ainsi : mon futur mari est arrivé chez nous à peu près dans les mêmes circonstances que Roger mais trois ans plus tard. La différence est qu'il avait, lui, suivi des études. Il était ingénieur forestier.

— Béliot l'a vu comme un concurrent ?

— Pas du tout. En tout cas, il n'a rien montré. Roger a commencé par faire bon accueil au petit nouveau. Il l'a mis en confiance. On aurait dit deux amis d'enfance. Jean-Louis a été imprudent. Il s'est confié. Je l'ai tout de suite apprécié et au bout de trois mois, nous sortions ensemble en cachette de mon père. Roger l'a su.

— Qu'a-t-il fait ? Il vous a dénoncés ?

— C'était trop simple. Roger connaissait mon père. Il savait que s'il apprenait cette liaison, il ne s'y opposerait pas et qu'aussitôt Jean-Louis deviendrait non seulement le favori mais aussi le gendre, c'est-à-dire le successeur. Cela, Roger ne pouvait pas le supporter. Il ne lui suffisait pas de nuire à Jean-Louis, de le dénoncer ; il lui fallait le détruire. Pour y parvenir, il devait d'abord l'anesthésier.

Nicole Ramoglio livrait le récit d'un ton égal mais on sentait qu'elle masquait une souffrance que le temps n'avait pas atténuée.

— Avec Jean-Louis et moi, Roger redoubla de gentillesse et d'amitié. Ce fut une époque merveilleuse. Quarante années ont passé et, vous voyez, je ne l'ai pas oubliée. C'est au nom de ces moments de bonheur que je suis ici. La chute n'en a été que plus dure.

Elle porta à ses lèvres sa tasse de porcelaine qui tinta sur la soucoupe en rendant un son clair, car sa main tremblait.

— Le plus étrange, c'est le temps que Roger a pris pour ourdir sa vengeance en silence contre Jean-Louis. Pendant des années, il a été capable, tout seul, sans se confier à personne, d'élaborer un plan mortel, de tisser des fils invisibles qu'il tirerait le moment venu. C'est cette passion silencieuse qui rend son acte particulièrement monstrueux. Mais, aussi étrange que cela paraisse, c'est aussi ce qui fait que je lui ai pardonné. Parce que je pense simplement qu'il était fou. Et très malheureux.

Elle reposa la tasse. Une larme de thé perlait au coin de sa bouche. Elle chercha une serviette, n'en trouva pas et finalement l'ôta de la pointe de son index.

— Je vous passe les détails, qui d'ailleurs ne sont pas tous connus. Il faut se replacer dans l'époque. La vie de brousse était rude. Les moyens de transmission modernes n'existaient pas. Beaucoup de démarches exigeaient encore que l'on se déplace, ce qui, sur les pistes africaines, n'allait pas toujours sans risques.

— Vous habitiez loin de Libreville ?

— Non, à ce moment-là nous vivions déjà dans la capitale. Mais les usines et les entrepôts de mon père étaient restés à l'intérieur du pays. Il tenait à conserver le siège de l'entreprise sur le lieu même de ses débuts, quand il avait commencé son exploitation forestière. Il avait acheté un petit avion pour faire la liaison.

Nicole Ramoglio éprouvait une certaine difficulté à évoquer cette malheureuse affaire. Elle s'attardait sur des détails qui lui rappelaient encore de bons souvenirs.

— Nous transférions une fois par mois la paie des ouvriers, et parfois aussi de fortes sommes, pour des règlements de matériaux, des achats d'arbres sur pied. Ces envois pouvaient représenter de véritables fortunes. Béliot eut la patience d'attendre une circonstance exceptionnelle : un jour où l'avion était en panne (on s'est même demandé a posteriori s'il n'avait pas joué un rôle dans cette avarie) et où la somme à transférer était particulièrement conséquente. La paie fut envoyée cette fois-là par la route. Une voiture partit avec une malle bourrée de billets. Elle était conduite par un vieux chauffeur gabonais et gardée par un ancien soldat, un Congolais au service de mon père depuis plus de dix ans. Les deux hommes étaient de confiance.

On sentait que ce récit avait dû être répété en famille un nombre incalculable de fois. Chaque détail avait été analysé, vérifié, interprété. Elle donnait maintenant la version officielle, immuable et polie comme une statue de marbre.

— La voiture est tombée dans une embuscade. Le chauffeur et le garde ont été tués. L'argent a disparu.

— C'est Roger qui a organisé l'embuscade ?

— J'y viens. Les assaillants ont été identifiés. Trois mercenaires venus de l'Oubangui-Chari. Des types sans foi ni loi qui survivaient en jouant les coupeurs de route et en terrorisant les villageois.

— Des Africains ?

— Oui. Ils se sont volatilisés après avoir fait leur coup. On n'a jamais pu les retrouver.

— On a récupéré l'argent ?

— Pas leur part. Mais le reste, oui.

— Qui a mené l'enquête ?

— La police locale, mais mon père s'y est beaucoup investi lui-même.

Nicole Ramoglio fit signe à un serveur qui passait et lui demanda de rapporter un pot d'eau chaude.

— C'est petit à petit que l'on a vu sortir des indices qui accablaient mon futur mari : un vieux portefeuille en cuir retrouvé dans le campement des assaillants, deux empreintes digitales de Jean-Louis figuraient dessus. Des traces de pneus correspondant à sa voiture ont été relevées dans les parages de l'embuscade. Enfin, un des mécaniciens de l'entreprise a apporté un témoignage troublant : Jean-Louis lui aurait posé des questions la veille du départ, pour connaître l'itinéraire du convoi. Et le jour de l'embuscade, il était en tournée en brousse.

— Il s'est défendu, j'imagine ?

— Mal. Jean-Louis est un garçon honnête et l'honnêteté dispense en général d'avoir à se disculper. Il a réagi agressivement. Il est allé voir mon père et a commis l'erreur de hausser le ton, presque de le menacer. Au début, il était seulement suspect, mais il se comportait comme un coupable. C'est ce qu'a pensé mon père et il lui a dit de faire ses valises.

— Votre père savait déjà que vous étiez amoureuse de Jean-Louis ?

— Il s'en doutait. Cela faisait partie du châtiment. Vous comprenez, mon père ne voulait pas confier cette affaire à la justice. C'était une question d'honneur entre lui et le coupable. Et puis, il ne fallait pas entacher l'image de l'entreprise.

— Donc, Jean-Louis est parti et vous l'avez suivi...

— Non, il n'est pas parti. Je ne sais pas ce que j'aurais fait si les choses étaient allées jusqu'au bout. J'étais terrorisée à l'idée d'affronter mon père mais j'étais encore plus attachée à Jean-Louis, je crois.

— Qu'est-ce qui l'a sauvé ?

— Le hasard. Comme souvent, ce sont des détails imprévus qui ruinent les plans les plus parfaits en apparence. Deux jours avant le départ de Jean-Louis, une jeune Africaine qui vivait dans un village de l'intérieur, tout près du lieu de l'embuscade, a accouché d'un enfant métis. Le père de la gamine était un chef coutumier de la région. Il a menacé de la tuer si elle n'avouait pas qui était le père. Elle a dit que c'était Roger.

— En quoi cela l'accusait-il de l'embuscade ?

— Quand il a été informé de cette affaire de fille engrossée, mon père a tiré ce fil et tout est venu. On a su que Roger était passé plusieurs fois dans la région, en catimini, les semaines précédant l'attentat ; qu'il avait utilisé une fois la voiture de Jean-Louis, celle dont on avait retrouvé les traces de pneus ; qu'il avait rencontré les assaillants la nuit, en pleine forêt. La fille l'avait accompagné. Elle était restée dans la voiture mais les avait reconnus. Elle a aussi parlé d'un vieux portefeuille que Roger manipulait avec des gants. Bref, les soupçons se sont tout à coup portés sur Roger.

— Comment a-t-il réagi ?

— Comme un enfant gâté. Il n'a pas supporté de descendre de son piédestal. Il a fait une scène épouvantable à mon père, en lui sortant tout ce qu'il avait sur le cœur. Sept ans de petites frustrations, de rancœurs. En somme, il lui reprochait de ne pas l'aimer assez, de lui préférer un autre, de lui avoir laissé espérer la première place, pour finalement la lui refuser.

— Mais il n'a pas nié ?

— Non. Et ce cri d'amour déçu signifiait qu'il reconnaissait les faits. D'ailleurs, il est parti dès le lendemain avec une simple valise. Et mon père a trouvé deux jours après une valise dans le coffre de la voiture. Elle contenait la somme dérobée moins la commission des mercenaires.

— Votre père aurait pu le faire arrêter, même s'il avait quitté le pays ?

— Il a préféré garder cette trahison pour lui, comme une blessure secrète. Et elle ne s'est jamais refermée.

— Il en parlait quelquefois ?

— Pas des événements eux-mêmes mais, c'est curieux, il suivait Roger à la trace. Chaque fois qu'il apprenait qu'il était arrivé dans un pays, chaque fois qu'il entreprenait un chantier, il nous l'annonçait. Il a su qu'il s'était installé ici et cela ne l'a pas étonné car il s'était grillé dans la plupart des anciennes colonies françaises. Après la mort de mon père, j'ai retrouvé un cahier dans lequel il consignait tous les renseignements qu'il obtenait à propos de Roger. C'est comme cela que j'ai, moi aussi, gardé un œil sur lui jusqu'à aujourd'hui.

La ville était devenue sombre, même si le ciel restait lumineux. De petites lampes s'allumaient un peu partout dans les jardins. Les serveurs disposaient des quinquets sur les tables autour d'eux. Dans l'obscurité qui venait, Aurel se sentait moins gêné pour susciter des confidences plus profondes.

— Vous avez dû y penser souvent. Comment interprétez-vous ce geste de Béliot, cette duplicité ?

— Nous ne savions rien de sa famille quand il est arrivé chez nous. Mais après son départ, mon père a commencé à se renseigner. Je crois même qu'il a payé quelqu'un pour faire des recherches en France.

— À Boulogne-sur-Mer ?

— Et aux alentours. Ce que nous avons appris, c'est que Roger, enfant unique, avait été élevé par une mère terrible. Une femme méchante mais qui adulait son fils. Elle était d'une avarice extrême. Elle collectionnait les pièces d'or. Le soir, avec sa mère, Roger comptait et recomptait les Louis et les Napoléon, les yeux brillants. C'était l'homme d'une femme et c'est ce que les femmes sentaient, ce qui les attirait vers lui. Mais sa mère lui avait insufflé en même temps le mépris des femmes.

Timidement, le serveur vint proposer de poser aussi une lumière sur leur table. Mme Ramoglio demanda l'addition mais Aurel protesta pour régler.

— Pensez-vous qu'une de ces femmes aurait pu lui en vouloir au point de le tuer ?

— Je ne sais pas. Cela ne me paraît pas vraisemblable. Cependant, tout est possible évidemment.

— À part des femmes, à votre avis, demanda Aurel en remettant son portefeuille dans la poche intérieure de son veston, pour un homme comme Roger, d'où pouvait venir le danger ?

— De lui-même.

Elle avait répondu très vite, signe que c'était une question à laquelle elle avait longuement réfléchi. Aurel attendit qu'elle s'explique.

— Mon père a suivi la carrière de Roger, je vous l'ai dit. Il voulait comprendre. Dans la psychologie de mon père, la trahison était quelque chose d'absolument inconcevable. Or, en observant Roger à distance, il voyait vivre quelqu'un dont toute la vie était marquée par la trahison.

— Il n'a pas vraiment trahi votre père en faisant accuser Jean-Louis Ramoglio. Il a surtout voulu se débarrasser d'un rival.

— Certes, mais toujours par des moyens irréguliers, sournois, en bafouant la confiance placée en lui. Partout où il est passé par la suite, les choses se sont déroulées de la même manière. Il commence par travailler – et il le fait à merveille –, il gagne l'estime de tous et, d'un seul coup, il ruine ces efforts en se rendant coupable d'un acte déloyal. À cause de cela, il n'a jamais tenu longtemps au même endroit.

— Sauf à Maputo.

— C'est vrai. Mais d'après ce que je sais, il est arrivé ici précédé de sa réputation et personne ne lui a jamais fait confiance.

— Personne, non, répéta Aurel.

Puis il se dit en lui-même : personne ou presque. Et dans ce presque, il y avait peut-être la solution de l'énigme.

Ils restèrent silencieux à rouler des pensées vagues, en finissant leur thé refroidi.

— Vous avez un avion ce soir ? demanda enfin Aurel.

— À vrai dire, c'est un peu quand je veux. Mon mari a mis un des avions de l'entreprise à ma disposition.

En entendant ces mots, Aurel eut l'impression qu'elle était déjà partie et qu'une immense distance, qu'il avait crue abolie par ses confidences, les éloignait irrémédiablement l'un de l'autre.

Mme Ramoglio proposa de le raccompagner en voiture. Mais sans trop savoir pourquoi, Aurel déclina l'offre. Il exécuta dans la rue poussiéreuse un baisemain qui fit rire deux gamins qui traînaient là. Puis il héla un vieux taxi et rentra directement chez lui.

XII

Quand le taxi déposa Aurel, celui-ci remarqua une voiture noire garée tous feux éteints devant chez lui. Un instant, les vieux réflexes du temps du communisme resurgirent : et si la police secrète venait l'arrêter ?

Il demanda au chauffeur de continuer sa route et de le déposer plus loin, afin d'observer à son tour ceux qui le guettaient. Mais au moment de dépasser le véhicule garé, il vit dans les phares qu'il portait une plaque consulaire et reconnut le numéro de Mortereau.

À peine Aurel était-il descendu du taxi que le Consul général bondissait hors de sa voiture et approchait de lui.

— Que c'est agaçant, votre histoire de portable. Il n'y a vraiment pas moyen de vous joindre ?

— Excusez-moi.

— Bon, ne perdons pas plus de temps. Il faut qu'on se parle.

En disant cela, Mortereau regardait le portail d'Aurel. Malgré tout le désagrément que cette idée lui causait, celui-ci comprit qu'il devait inviter le Consul général à entrer.

— Vous ne ferez pas attention au désordre.

En pénétrant dans le vestibule, Aurel fut saisi par une odeur de vaisselle sale et de renfermé qu'il n'aurait pas remarquée s'il avait été seul. Plus grave encore, le salon offrait le spectacle navrant de vêtements éparpillés et de cadavres de bouteilles jonchant le sol.

— Tiens, vous avez un piano, s'écria charitablement Mortereau, à moins qu'il n'ait pas vu le reste car il piétinait allègrement une chemise jetée par terre.

— Oui, bredouilla Aurel. J'ai même travaillé comme pianiste dans le temps.

— Magnifique ! J'adore le piano. J'en ai fait sept ans quand j'étais gosse et ça a été une bêtise d'arrêter. Vous jouez quoi ? Bach, Mozart, Schumann… ? Ça doit être impressionnant de se produire en nœud papillon devant une grande salle silencieuse…

Aurel, occupé à repousser du pied sous le canapé des slips et des chaussettes qui traînaient au milieu du salon, s'entendit dire :

— En fait, j'étais plutôt pianiste de bordel.

Quand il prit conscience de ce qu'il venait d'annoncer, il fut saisi de panique.

— Enfin, je jouais du jazz. Dans des pubs, des bars, vous voyez ce que je veux dire.

Il craignait d'avoir ruiné tout à fait sa réputation mais Mortereau, au contraire, le regardait avec admiration.

— Sans blague ! Vous ? Je n'aurais jamais pensé cela.

Et pour qu'Aurel ne se méprenne pas sur son jugement, il ajouta.

— C'est magnifique.

Puis il demanda les toilettes.

— Jouez-nous donc quelque chose, pendant que je me lave les mains.

Aurel se mit au piano et laissa courir au hasard ses doigts sur le clavier, comme il le faisait toujours en commençant ses soirées de pianiste mercenaire. Sur un rythme rapide, il enchaînait des thèmes sans ordre, autant de fragments de chansons célèbres charriées dans un grand torrent de jazz. Rien ne pouvait mieux le détendre. Après une journée à courir partout, c'était un délassement incomparable de laisser venir la musique sans penser à rien d'autre. Seul un verre de blanc aurait pu ajouter à son bonheur. À l'instant où il y pensa, il prit conscience qu'il devait déjà jouer depuis un bon moment. Il s'arrêta d'un coup et pivota sur lui-même. Mortereau, debout, les bras croisés, l'observait avec des yeux vagues.

— C'est époustouflant, lâcha-t-il, l'air songeur. Continuez, continuez. On vous écouterait toute la nuit.

— Vous ne vouliez pas me parler de façon urgente ?

Le Consul général revint à lui.

— Si, si, vous avez raison. Asseyons-nous.

Mortereau recula vers le canapé et s'y plongea. C'était un vieux meuble défoncé qu'Aurel avait racheté à son prédécesseur. Il n'avait pas eu le temps de mettre son hôte en garde. Celui-ci se retrouva les genoux au-dessus de la tête. Aurel lui tendit les deux mains et l'aida à se redresser. Lui-même se posa prudemment sur le rebord d'une chaise métallique dont un des pieds se détachait régulièrement.

— J'aurais voulu vous voir avant, quand vous êtes rentré du couvent.

— Comment avez-vous su ?

— Le chauffeur, bien sûr !

Mortereau prit l'air finaud. Aurel se félicita d'être allé rencontrer Mme Ramoglio en taxi.

— Je voulais vous voir avant, répéta le Consul général, mais je n'ai pas pu. Figurez-vous que cette histoire de défenses d'éléphants a pris des proportions incroyables. C'est devenu une affaire d'État. Même une affaire mondiale. Vous savez que la chaîne de télé CBS en a fait ses gros titres ? « Cinq tonnes d'ivoire disparaissent des entrepôts de la douane à Maputo. »

— Ce doit être embêtant pour le gouvernement...

— Et comment ! Eux qui se prétendent exemplaires sur l'environnement ! Les Mozambicains touchent un paquet chaque année des Américains et de l'Europe pour protéger leur faune. C'est bien à cause de ça qu'ils se sont dépêchés de bâcler l'enquête. Il faut dire qu'ils sont très forts. Vous savez ce qu'ils ont trouvé ?

— Un lampiste qu'ils vont accuser de tout, je parie.

— Mieux que ça. Les rebelles.

— Quels rebelles ?

— Vous savez, cette petite guérilla dans le Nord, qui végète dans la jungle à la frontière tanzanienne et fait de temps en temps des coups de main en territoire mozambicain. Il paraît qu'ils se revendiquent de l'État islamique, maintenant. Des bandits, plutôt.

— Ce sont eux qui ont volé les défenses ?

— Certainement pas. Mais c'est ce que le gouvernement prétend. Et ça arrange tout le monde d'y croire.

— Quand même, il faut des preuves. Ont-ils retrouvé l'ivoire ?

— Pensez-vous. Il n'y a aucune chance de remettre la main dessus. À l'heure qu'il est, les défenses doivent être au fond d'une cale de bateau, à destination de Hong Kong ou autre.

— Déjà ! Mais il a eu lieu quand, ce cambriolage ?

— D'après les constatations policières, ça remonterait à deux semaines.

— Et personne ne s'en est rendu compte ?

— Non. Il y a un type de garde devant l'entrepôt mais il ne va jamais voir à l'intérieur. D'ailleurs, il n'a pas les clefs. Apparemment, les voleurs ont percé une ouverture dans un mur à l'arrière du bâtiment. Sans la visite des écolos, on n'aurait pas découvert la disparition si vite.

— Il y a eu des complicités internes...

— Évidemment. C'est la douane qui était chargée de garder l'ivoire. Mais c'est la police qui était responsable des rondes. Tout ce beau monde a dû se faire graisser la patte pour fermer les yeux.

— Qu'en pensent vos écolos ?

— Aussi bizarre que ça paraisse, ils ont gobé les explications gouvernementales. Ils croient dur comme fer à cette histoire de rebelles. Il faut dire qu'ils ont été reçus par le Premier ministre en personne qui leur a passé une pommade pas possible. Ils ont annoncé qu'ils repartaient demain soir. Après-demain matin, je serai disponible pour reprendre les investigations avec vous.

— Magnifique, s'écria Aurel.

Et il comprit qu'il ne lui restait plus qu'une journée de tranquillité pour mener son enquête.

Le Consul général ne lui laissa pas le temps de méditer cette triste nouvelle. Il voulait un compte rendu détaillé des événements de la journée. Aurel lui présenta un résumé très édulcoré et assez orienté pour diriger les soupçons vers Fatoumata.

— Je suis assez impatient de rencontrer cette femme, conclut finement Mortereau. Vous me faites une présentation scrupuleuse des choses et on sent que vous ne voulez pas mener une enquête à charge. Votre équité vous honore. Mais voyez-vous, quand on prend la responsabilité que nous prenons, c'est-à-dire quand on décide coûte que coûte de faire triompher la vérité, il faut choisir un parti.

Il parlait, une main posée sur le piano et les yeux dans le lointain, un peu comme ces cantatrices qu'Aurel regardait à la télévision en

Roumanie quand il était enfant. Il imagina un instant Mortereau boudiné dans une robe en lamé brillant et il dut se tourner pour ne pas éclater de rire.

— Eh bien moi, annonça Mortereau d'une voix inspirée, je vous dis que cette Fatoumata n'est pas claire et que tous les indices convergent vers elle.

Aurel n'opposant aucune résistance, le Consul général jeta sur lui un regard presque affectueux.

— Jouez-nous encore un morceau, voulez-vous ?

Aurel écorcha une transcription du *Pénitencier*, puis, voyant que Mortereau ne décollait pas, il émit de longs bâillements et multiplia les fausses notes. Au bout de dix bonnes minutes de ce régime, le Consul général plissa les yeux et donna une tape sur l'épaule d'Aurel.

— Ne le prenez pas mal, mon vieux. Mais je crois que vous êtes un peu fatigué. Si, si.

Et, refusant de céder aux molles protestations d'Aurel, il insista pour s'en aller.

*

Mortereau parti, Aurel resta un long moment sur le pas de sa porte pour écouter la voiture s'éloigner. Il voulait s'assurer que le Consul général ne trouverait pas un prétexte pour revenir.

Ensuite, il rentra chez lui, ferma tous les verrous possibles et alla se mettre en peignoir. Vite, un verre de blanc ! La bouteille était bien fraîche ; il la rapporta avec lui et en vida la moitié en quelques minutes.

La nuit était silencieuse et ventée. Il entendait des sifflements dans la charpente et le tressautement d'un châssis de fenêtre mal calé. Il aurait aimé qu'il pleuve mais ce n'était pas la saison.

Jamais une enquête ne lui apportait autant de bonheur qu'en cet instant : quand tout était là, en lui, mais sans ordre. Il se sentait l'égal d'un dieu qui s'apprête à souffler sur un chaos de choses inertes pour y créer une organisation et y faire naître la vie.

Désormais, il connaissait tous les personnages du drame, à l'exception de deux : Ignace, l'ancien chef de la police, ainsi que ce bizarre Ukrainien, le dénommé Piotr. Ceux-là, il ne pouvait pas les interroger sous un prétexte consulaire et il ne tenait pas à ce qu'ils sachent qu'il menait une enquête. Cette lacune était gênante mais pas au point de l'empêcher de parvenir à la vérité. Aurel avait cette conviction, mais il ne pouvait pas s'expliquer pourquoi.

Il se remit au piano et, pour oublier les pitreries auxquelles il s'était livré avec le Consul général, il joua une marche funèbre de Schumann, très lentement, en écoutant chaque note bourdonner dans la maison, comme un insecte prisonnier.

Puis il se leva, se resservit à boire et approcha de la table sur laquelle était disposé un jeu d'échecs. C'était un souvenir de son père : des pièces d'ivoire, sculptées au XIXe siècle en Europe centrale, qu'il emportait à chaque voyage et disposait sur un damier moderne. Il manquait deux pions, qu'il s'était toujours juré de remplacer. De toute façon, il ne jouait jamais avec ce jeu car il était trop précieux. Il s'assit sur une chaise et regarda les petites figurines. Le roi blanc était une haute pièce tournée et sur son grand corps, les veines de l'ivoire, visibles de haut en bas, formaient comme les plis d'un long manteau. Le temps avait gauchi l'ensemble. Ce roi prenait un air majestueux, autoritaire, mais aussi bancal et fragile. Aurel annonça :

— Roger Béliot.

Il saisit la pièce et la posa au centre du damier.

Puis il prit la dame blanche et la posa près du roi.

— Françoise.

Il réfléchit un moment puis recula la figurine de trois cases, pour représenter l'éloignement de la première femme de Béliot.

Ensuite, il considéra les pièces noires. Il saisit d'abord la dame, qui lui semblait représenter naturellement Fatoumata. Mais quelle figure attribuer alors à Lucrecia ? Il réfléchit longuement puis ses gestes précédèrent sa pensée. Il saisit le roi noir et le plaça près de Béliot en pensant : Fatoumata.

Et tout de suite après, il posa la dame noire avec l'idée que c'était elle, Lucrecia.

Ces premiers choix dessinaient déjà un paysage inattendu. Fatoumata, en roi noir, prenait une puissance qui surprenait mais ne choquait pas Aurel. C'est bien ainsi qu'il la voyait et il était fondé à penser que Béliot la considérait de la même manière : comme une autorité, une force, un rival. Face à elle, les deux dames, Françoise et Lucrecia, quoique de couleurs différentes, semblaient apparentées. Il pensa : complices.

Il chercha ensuite comment représenter cet Ignace à qui il n'avait jamais parlé. Sans hésiter, il saisit une tour noire. Fortement établi dans la capitale et depuis longtemps, l'ancien chef de la police disposait d'une large vue sur la société, de relations tous azimuts. Solidité, puissance, danger étaient les mots qui le caractérisaient le mieux. Aurel le plaça à côté du roi noir, c'est-à-dire de Fatoumata, dont il était, disait-on, si proche.

Béliot ne disposait pas d'un allié comparable. Mme Ramoglio l'avait bien souligné : il était seul, détesté ou méprisé par les notables, partout où il allait. À Maputo autant qu'ailleurs, davantage peut-être, car il était devenu un vieil homme que nul ne craignait plus.

Tout juste pouvait-il s'appuyer sur Piotr, un pauvre exilé qu'il pouvait faire courir à sa guise. Aurel représenta celui-ci par un fou blanc.

Fatoumata aussi disposait d'un fou qui s'empressait d'exécuter ses ordres : c'était son fils, David, envoyé en éclaireur chez son père. Aurel plaça le fou noir auprès du roi blanc.

Des cavaliers, il y en avait aussi de part et d'autre. C'est ainsi qu'Aurel en tout cas voyait l'avocat qui caracolait autour de Françoise et sautait les lignes pour rapporter ce qu'il savait à Fatoumata, sa vraie patronne.

Et du côté de Béliot, sans trop savoir pourquoi, c'est en cavaliers qu'Aurel avait envie de représenter les deux broussards qui étaient à l'enterrement. Il posa les deux cavaliers blancs un peu au hasard.

Il se recula, satisfait de ce premier travail. Béliot était véritablement cerné. Si l'on comparait le nombre de pièces qui obéissaient à Fatoumata et les siennes, il était en nette infériorité.

Aurel alla se servir un verre de blanc, ôta ses mules et se massa les pieds en regardant l'échiquier. Il manquait quelque chose et il ne parvenait pas à déterminer quoi. La solution, dans ce cas-là, était toujours le piano. Il se mit à jouer un air de Duke Ellington. Aussi curieux que cela puisse paraître, le jazz était pour lui un exercice pénible : il n'avait pas naturellement le sens du rythme. Avec le temps, il avait fini par s'y faire. Il était passé à la variété pour des raisons alimentaires, mais, au fond, il était plutôt fait pour la musique classique.

Pendant qu'il jouait, il pensait à cela : le rythme, son rapport avec la vie. Et sans le vouloir, il revenait à Béliot. Quel pouvait être son rythme, à lui ? Aurel connaissait son histoire, ses habitudes, son entourage. Mais il songeait pour la première fois qu'un homme, c'est aussi un rythme, une manière d'organiser tout cela. Le rythme, pour Françoise, par exemple, avait longtemps été celui de ses lettres : une ou deux fois par an, elle lui demandait de l'argent. Et puis, d'un seul coup, elle avait débarqué et cassé le rythme. Pas seulement le sien, d'ailleurs. Elle avait aussi perturbé celui des autres. Aurel s'arrêta de jouer et revint au damier.

Quel était donc le rythme de Fatoumata ? Elle aussi était séparée de Béliot. Pourtant, elle restait dans les parages. Combien de fois par semaine venait-elle à l'hôtel ? Et quand elle y venait, rencontrait-elle Lucrecia ? C'était peu probable. Béliot ne tenait certainement pas à ce que les deux femmes communiquent. Le faisaient-elles quand même ?

Quant au rythme de Lucrecia, il était à peu près clair : elle était là tous les jours. D'après Françoise, qui, certes, était mauvaise langue, la jeune fille passait toutes ses nuits avec Béliot. Toutes ou presque, puisqu'elle n'était pas dans l'hôtel le jour du meurtre. C'était, d'après ses propres dires, du fait d'un événement familial. Reste qu'il y avait eu ce soir-là rupture du rythme.

Aurel se leva et alla déboucher une autre bouteille de Tokay. Il revint à l'échiquier avec son verre. Il avait déjà pas mal bu et ses idées prenaient le flou nécessaire à l'intuition. Il s'étira le dos et replongea dans la contemplation des pièces. Elles étaient toutes agglutinées autour de Béliot et ça n'allait pas.

— Il les voit une par une.

Aurel avait prononcé cette phrase à voix haute, presque inconsciemment. Elle le fit sursauter. Il fallait approfondir cette idée. Si chaque personne avait son rythme dans ses rapports avec Béliot, c'était à cause de lui. C'est lui qui organisait son entourage en assignant à chacun non pas sa place (à cet égard, il ne contrôlait rien, ou si peu) mais son rythme. Il décidait quand tel ou tel devait venir. Et il faisait en sorte qu'il ou elle ne rencontre personne d'autre.

À Béliot, impotent, bancal, abruti par le whisky, il restait un seul véritable pouvoir : celui d'organiser le ballet des présences autour de lui. Il était le maître des rythmes.

Aurel ferma les yeux et se laissa gagner par une fausse torpeur. Elle l'envahissait toujours à l'instant où naissait l'idée, où se dénouait la pelote d'un mystère.

Et, d'un coup, il bondit sur ses pieds. Il marcha en titubant à travers le salon, se tenant aux meubles comme s'il remontait la coursive d'un bateau dans la tempête. Il arriva jusqu'au téléphone. C'était un vieux modèle fixe. Le combiné était relié à l'appareil par un fil en spirale. Il décrocha mais, au moment de composer le numéro, il se rendit compte qu'il ne l'avait pas. Il lui fallut retraverser toute la pièce, en faisant tomber une lampe, fouiller dans la poche de son veston, revenir jusqu'au téléphone, composer laborieusement le numéro. Il entendit sonner à l'autre bout du fil. Personne ne répondait. Il insista. À la sixième sonnerie, une voix ensommeillée retentit dans le combiné.

— Allô, la prison ?

— Ouais…

— Isidore ?

— Lui-même. Qu'est-ce que vous voulez ?

— C'est Timescu. Le Consul de France.

— Vous n'êtes pas dingue ? Pardon, monsieur le Consul, mais il est minuit passé.

— Isidore, tu m'as proposé de me rendre service, n'oublie pas.

— D'accord, mais la nuit, tout de même…

— Tu es au boulot ?

— Bien sûr, je vous l'ai dit : je suis de nuit, maintenant.

— Alors, tu n'as pas de raison de dormir.

— Je n'ai pas dit que je dormais.

— Dans ce cas, s'il te plaît, voilà ce que tu vas faire. Mme Béliot est toujours chez vous ?

— Ouais.

— À la bonne heure. Alors, va frapper à la porte de sa cellule et pose-lui une question de ma part.

— Vous ne pouvez pas la lui poser demain vous-même ?

— Ton directeur ne me laissera pas venir une troisième fois en deux jours.

— Pourquoi pas ?

— De toute façon, c'est urgent, coupa Aurel en haussant le ton. C'est *vraiment* urgent, Isidore.

— Bon. D'accord.

— Tu vas lui demander ceci, écoute-moi bien. Quand elle a découvert le corps de Béliot le matin, est-ce que la piscine était allumée ?

— Oh, c'est pas vrai ! À minuit, des conneries pareilles ! Sauf votre respect, monsieur le Consul, je le dis comme je le pense. Ce n'est pas gentil de jouer avec moi comme ça...

— Tais-toi, Isidore ! intima Aurel. Pose-lui cette question, s'il te plaît. C'est important. Très important. Et si elle te répond oui, fais bien attention, demande-lui de quelle couleur elle était. Tu te souviendras ?

— La couleur de la piscine ?

— La couleur de l'éclairage de la piscine.

Un soupir profond retentit dans le combiné puis Aurel entendit que le gardien posait le téléphone sur la table. Il attendit un long moment. Des pas sonores étaient perceptibles, réverbérés en écho par les murs nus de la prison. Enfin, Isidore saisit le combiné.

— Elle a dit que la piscine était allumée.

— La couleur, Isidore ! La couleur ?

— Vert.

— Merci, soupira Aurel.

Et il raccrocha.

*

Aurel sortit sur son petit balcon et, sans changer de vêtements, c'est-à-dire à peu près dans la tenue qu'affectionnait Béliot à son réveil, fit quelques pas de long en large. L'air frais du soir lui rendit sa lucidité. L'heure n'était plus aux intuitions ni aux divagations. Il tenait un fil et devait le tirer jusqu'au bout.

Il rentra et s'installa devant son ordinateur portable. C'était un autre des secrets qu'il dissimulait soigneusement à ses employeurs. Il faisait mine de ne rien connaître aux nouvelles technologies, et cette infirmité était une protection supplémentaire contre toute tentative de lui donner du travail. La vérité était qu'il aimait presque autant pianoter sur son ordinateur portable que sur le clavier d'ivoire de son piano. Et au point où il en était cette nuit, c'était de cet instrument-là qu'il lui fallait jouer maintenant.

Il se lança dans sa recherche avec un entrain magnifique. Il chantait des airs d'opéra sur lesquels il improvisait des paroles loufoques. Plus il avançait dans ses investigations, plus ses soupçons se confirmaient, et plus il chantait fort et grave. C'est dans le plus bas registre du baryton qu'il parvint à la conclusion qu'il recherchait. Il referma l'ordinateur d'un coup sec, passa rapidement un pantalon et une veste. Puis il sortit dans la nuit et à grandes enjambées rejoignit la place sur laquelle des taxis attendaient la sortie d'une discothèque.

*

Le gardien refusa d'abord de réveiller les religieuses. Mais devant les cris et les menaces d'Aurel, qui brandissait son passeport diplomatique, il alla tirer la sœur tourière de son lit.

Elle arriva au bout d'un long moment, en ajustant sa cornette. Quand elle découvrit Aurel devant la porte du parloir, elle eut un mouvement de recul. Passe encore qu'il sentît l'alcool. Mais il était plus choquant qu'il eût enfilé une veste à même son tricot de corps. Son pantalon trop court laissait voir le bas de ses mollets poilus et ses pieds nus dans les chaussures.

Quand elle comprit le motif de sa visite, son indignation fut à son comble.

— Il n'est pas question, monsieur le Consul, que je réveille mademoiselle Lucrecia. Et d'abord, expliquez-moi ce que vous lui voulez.

Le gardien était resté près de la porte et observait la scène, prêt à intervenir s'il s'avérait qu'Aurel passait les bornes.

— Ma sœur, implora-t-il en joignant les mains, je ne peux pas vous dire pourquoi mais je vous affirme qu'il *faut* que vous appeliez Lucrecia. Il en va du sort d'une personne emprisonnée injustement.

La sœur le toisait avec suspicion. Aurel redoubla de persuasion. Finalement, la religieuse se résolut à accepter ce pari pascalien : elle ferait peut-être tout gagner en réveillant Lucrecia, comme Aurel le prétendait, et pas perdre grand-chose si elle la dérangeait pour rien.

— Attendez-moi ici.

Elle revint au bout d'un long quart d'heure. Lucrecia l'accompagnait en traînant les pieds, les yeux mi-clos. Aurel lui saisit les mains et les secoua.

— Lucrecia, s'il vous plaît. Réveillez-vous. J'ai besoin de vous.

— Tout de suite ?

— Oui. Tout de suite. Demain matin, que dis-je, dans cinq heures à peine, quand le jour sera levé, il sera trop tard. Suivez-moi !

Lucrecia secoua la tête, mit un moment à comprendre.

— C'est pour Françoise ?

— Oui. Pour vous aussi. Pour la vérité ! Pour la justice !

Elle haussa les épaules. Si malin qu'il fût peut-être, ce petit bonhomme était toujours un peu à côté de la plaque.

— Bon. Attendez que je passe une robe.

— Cinq minutes.

— Quinze.

— Soit ! concéda Aurel, puis il se jeta dans un des raides canapés des sœurs et se détendit en dépliant un affriolant exemplaire de *L'Osservatore romano*.

*

Le taxi attendait patiemment devant le couvent. Aurel avait payé le chauffeur d'avance et si généreusement qu'il n'avait aucun scrupule à dormir jusqu'à ce que ce client bizarre revienne. Après tout, quand on fait le choix de travailler de nuit, il faut s'attendre à rencontrer des originaux.

Quand il vit Aurel ressortir avec une jeune Africaine moulée dans une jupe en jean trop serrée, il crut comprendre à qui il avait affaire. C'était seulement curieux que le client soit allé chercher une fille dans un monastère. Mais de nos jours...

Comme le chauffeur le prévoyait, Aurel demanda qu'il les conduise à un hôtel. La Résidence dos Camaroes n'était pas un établissement connu pour ce genre de prestations, mais là encore...

Plus étrange fut l'exigence formulée par Aurel alors qu'ils approchaient de l'hôtel. Il commanda au taxi de s'arrêter et la fille descendit seule. Elle marcha, en se déhanchant sur ses hauts talons, et alla jusqu'à la guérite du gardien. Elle frappa plusieurs fois et, au bout d'un moment, on lui ouvrit. S'ensuivit alors un long conciliabule dont aucun écho ne parvenait jusqu'à la voiture. Le chauffeur, l'air de rien, avait pourtant laissé les vitres ouvertes et tendait l'oreille. Enfin, la fille revint. Elle se pencha à la portière arrière.

— Le gardien dit qu'il n'y a personne.

— Personne n'est venu depuis votre départ ?

— Si. D'après lui, Fatoumata et son fils ont passé la journée ici. L'ancien chef de la police les a rejoints vers seize heures. Ils sont repartis tous ensemble avant la tombée de la nuit.

— Ils ont emporté des choses ?

— Non, ils ont commencé à remplir des malles mais ils n'ont rien sorti pour le moment.

Aurel poussa un soupir de soulagement.

— On peut y aller ?

— Il veut bien mais si quelqu'un arrive, il dira qu'on est entrés par-derrière et qu'il n'a rien vu.

— Comme il voudra. On n'en a pas pour longtemps de toute manière.

Aurel s'extirpa de la banquette arrière. Au moment de s'éloigner avec Lucrecia, il revint vers le chauffeur.

— Si vous voyez arriver une voiture, s'il vous plaît, donnez deux petits coups de klaxon pour nous prévenir.

Le chauffeur acquiesça. L'affaire était plus complexe qu'il ne l'avait prévu et elle comportait sûrement plus de risques. Il se demanda s'il ne valait pas mieux laisser ce client louche en plan. Après tout, il était payé... En même temps, la fille avait parlé d'un chef de la police. Ces gens-là devaient avoir des relations et s'il leur faisait un mauvais coup, ils étaient capables de le retrouver et de se venger. Il resta.

Lucrecia et Aurel progressaient prudemment dans l'obscurité du jardin. Fatoumata et son fils avaient tout éteint en partant. L'heure n'était plus aux coûteuses illuminations nocturnes qui plaisaient à Béliot. L'hôtel lui-même apparaissait comme une masse sombre, vaguement menaçante. Seules les petites lumières vertes des sorties de secours éclairaient faiblement la terrasse et les balcons. Lucrecia alluma la lampe de son portable et ils avancèrent jusqu'à la chambre de Béliot. À la lumière blafarde du téléphone, la pièce apparut dévastée. Les placards étaient béants, des masses de vêtements jonchaient le sol, les tiroirs des commodes étaient grands ouverts et vides.

— Ils sont venus chercher quelque chose ? se demanda Aurel à voix basse.

— Je ne crois pas. C'est pas chercher, ça.

— C'est quoi alors ?

— Du pillage, précisa-t-elle sur son même ton égal, indifférent. Ils prennent ce qui a de la valeur et peut-être aussi qu'ils croient qu'il y a un magot.

Elle haussa les épaules.

— Il y a un magot, à votre avis ? demanda Aurel.

Il connaissait l'opinion de Lucrecia. Elle avait joué un grand rôle dans les déductions qui l'avaient amené jusqu'ici. Mais il voulait l'entendre le confirmer.

— La seule fortune de Roger, c'était cet hôtel, et encore, il avait des dettes gagées dessus.

— Fatoumata le savait ?

— Peut-être qu'elle s'en doutait. Mais avec elle, Roger a toujours eu un complexe. Il se vantait. Ça m'étonnerait qu'elle ait su à quel point il était dans la dèche.

Une rafale de vent fit craquer les palmiers et Aurel sursauta.

— Bon. Peu importe. Revenons à ce qu'on est venu chercher. Où pensez-vous que cela se trouve ? Si c'est dans la chambre, ils ont dû tomber dessus.

— Ce n'est pas dans la chambre, affirma Lucrecia, l'air perplexe.

— Où, alors ?

— Je n'en sais rien.

— Comment ça !

— Non. Il m'a juste montré un échantillon un soir sur son ordinateur. Mais je ne sais pas d'où ça sortait.

— Vous m'avez dit que vous pourriez trouver...

— Je peux, oui. Il faut réfléchir, c'est tout.

Elle avait dit ça d'un ton impérieux et Aurel se tut. Lucrecia avança jusqu'à l'endroit où se tenait Béliot, sur la terrasse. Elle éclaira la table basse et se pencha pour regarder dessous. Avec cette lumière blanche de LED, tout était cru, sordide, méconnaissable. Penser aux jours, aux mois, aux années que Béliot avait passés dans ce trou, les pieds allongés sous cette table crasseuse, avec pour seule arme sa sonnette dérisoire, donnait la pleine mesure de la misère du personnage.

— Voilà, dit calmement Lucrecia. Je l'ai.

Son bras était tendu jusqu'à l'épaule sous le plateau de la table et Aurel ne pouvait pas voir ce qu'elle tenait. Elle fit une grimace et quelque chose céda. Elle se releva en tenant à la main un fil électrique. C'était un câble double d'un ancien modèle, comme on en fabriquait en France il y a trente ans.

— Vous êtes sûre ? Ce vieux truc…

— Il m'avait dit qu'il faisait ça depuis des années. L'installation a dû être faite il y a longtemps.

Aurel observa le fil. Lucrecia en tirant avait arraché une extrémité et deux touffes de cuivre sortaient de la gaine en plastique. De l'autre côté, le fil rejoignait le sol et était dissimulé par le joint du carrelage. En tirant, Aurel fit craqueler le joint et ils purent suivre la ligne jusqu'au mur. À partir de là, elle était camouflée derrière une plinthe. Lucrecia observa la direction prise par le fil.

— Je pense que je sais où il va.

— Vous croyez ?

— J'en suis sûre.

— Eh bien, dit Aurel avec un grand sourire, allons-y !

XIII

Jocelyn du Pellepoix de la Neuville, l'Ambassadeur, était rentré discrètement la veille d'un voyage en Afrique du Sud avec sa femme. Il ne souhaitait pas que ses mouvements soient trop connus de ses collaborateurs. Il les avait habitués à fonctionner sans lui et à ne jamais savoir quand il pourrait éventuellement débarquer.

C'était un homme d'une cinquantaine d'années qui nourrissait de grands espoirs pour sa carrière. Entré au Quai d'Orsay après des études de chinois, il comptait bien obtenir un jour l'ambassade de Pékin. Cela supposait patience et habileté. Il ne devait pas commettre d'impair et capitaliser sur les fautes des autres. Cela se traduisait par une règle de conduite inflexible : ne pas faire de vagues.

Depuis son arrivée à la tête de ce poste africain qu'il considérait comme un purgatoire,

Pellepoix avait mis une distance protectrice entre ses collaborateurs et lui. Ils avaient rapidement compris qu'ils ne devaient pas le déranger pour lui soumettre des problèmes mais seulement des solutions. Il était enfermé dans son bureau du matin au soir, protégé par une batterie de secrétaires qui filtraient les accès. Sa résidence était encore plus inaccessible. La seule sortie régulière qu'il s'autorisait était pour le golf. Celui de la capitale était convenable, mais il ne fallait pas trop aller voir sur les bords : les buissons étaient pleins de détritus lancés pardessus le grillage. À la saison chaude, faute d'un arrosage efficace, les greens jaunissaient et devenaient de véritables paillassons.

L'Ambassadeur voulait également éviter de rencontrer des compatriotes. Ils avaient sans cesse des problèmes administratifs à lui soumettre et des envies de médaille les démangeaient tous. Il venait donc jouer de préférence très tôt le matin. Le terrain conservait un peu de la fraîcheur nocturne et le parcours était presque vide. Un caddie africain traînait ses clubs sans lui adresser la parole, et c'était très bien ainsi.

Ce matin-là, Pellepoix venait d'effectuer un long tir, bien dans l'axe du n° 8. La main en visière, il regardait la balle rebondir près d'un bunker sans y tomber et se placer au bord du green. C'était un de ses meilleurs coups.

— Bravo, Jocelyn ! murmura-t-il.

Il aimait se féliciter. Habitué à se méfier des compliments, ceux qu'il s'adressait à lui-même étaient les seuls sur la sincérité desquels il n'avait aucun doute.

— Joli coup !

Il hocha la tête.

— Oui, répondit-il machinalement, avant de se rendre compte que ce commentaire n'était pas de lui.

Il se retourna d'un bloc et découvrit, planté à un mètre du tee, un petit homme étrange dont il avait déjà aperçu la silhouette quelque part.

Le crâne dégarni, des cernes profonds autour des yeux, ce personnage était vêtu d'une veste de complet passée directement sur un maillot de corps douteux en coton blanc. De son pantalon dépareillé, trop court et trop large, froncé à la taille par une ceinture en croco noir brillant, dépassaient deux chevilles nues et des pieds chaussés de mocassins vernis.

— Aurel Timescu, annonça l'inconnu, esquissant une sorte de révérence. Consul adjoint. J'ai l'honneur de servir sous votre autorité, monsieur l'Ambassadeur.

— Qu'est-ce que vous voulez ?

Jocelyn de Pellepoix de la Neuville se souvenait maintenant de cet individu. Sa nomination dans son équipe lui avait causé un certain déplaisir. Heureusement, ce jeune puceau de Mortereau, avec son âme de Bon Samaritain, s'était chargé du problème et l'Ambassadeur n'en avait plus entendu parler.

— Je ne suis pas en service, comme vous le voyez, dit le chef de poste sèchement. Si vous avez quelque chose de personnel à me dire, prenez rendez-vous avec ma secrétaire, et si c'est pour le service, passez par la voie hiérarchique.

Déjà, il se retournait vers le caddie, lui demandait un putter et s'éloignait en direction de la balle. Le petit consul trottina et, avec une agilité insoupçonnée, barra la route à l'Ambassadeur.

— Je dois vous parler d'un crime.

— Il y a eu un nouveau crime ?

— Non. Il s'agit toujours de l'hôtelier, Roger Béliot.

— Ce vieux fou ! Il paraît que c'est son ancienne femme qui a fait le coup. En quoi cela justifie-t-il que vous me dérangiez ?

— Il y a du nouveau dans l'enquête.

— L'enquête de qui ?

— La mienne.

— Vous n'êtes pas policier, que je sache, ricana l'Ambassadeur avec humeur.

— En effet, concéda Aurel, en baissant la tête.

Profitant de ce recul pour donner le coup de grâce, Pellepoix ajouta :

— Et pourquoi n'est-ce pas votre chef de service, M. Mortereau, qui vient me voir ? Il me semble que c'est la procédure. Vous a-t-il chargé de venir me déranger ?

— Non, monsieur l'Ambassadeur, admit Aurel avec une mine contrite. Il n'est pas au courant de ma démarche.

— En ce cas, laissez-moi tranquille et faites passer une note à mes secrétaires, si vous avez un renseignement à me communiquer.

Il avait déjà saisi le club que lui tendait le caddie quand Aurel, d'une voix soudain très assurée, lui dit :

— Si je fais cela, il sera trop tard.

L'Ambassadeur se figea. Par sa longue pratique des bureaux, il savait reconnaître une menace.

— Trop tard pour qui ?

— Pour vous.

Un instant, les deux hommes se toisèrent. Jocelyn de Pellepoix, dans son impeccable pantalon de golf, avec ses chaussures marron et blanches à rabat, son polo vert sans un faux pli, et Aurel qui avait l'air d'un clown fripé. C'était le clown qui souriait.

Il reprit la parole tranquillement :

— Vous devez rencontrer la délégation des écologistes à onze heures trente dans votre bureau, à l'ambassade. D'ici là, ils auront largement eu le temps de connaître la vérité.

— Quelle vérité ?

Aurel lança sa main gauche derrière sa nuque, les doigts en crochet, et se gratta le cou avec l'expression voluptueuse d'un babouin qui s'épouille.

— Quelle vérité ? répéta l'Ambassadeur sur un ton impérieux.

Aurel cessa de se gratter, et, tout en fixant avec une perplexité gourmande ses ongles noirs, il prit son temps pour répondre.

— La vérité ? Eh bien, que nous couvrons un trafic d'ivoire et que nous sommes complices d'un mensonge d'État pour protéger un gouvernement allié de la France. C'est du moins ce qu'ils penseront.

Aurel laissa le chef de poste digérer ces mots et continua de disserter comme pour lui-même, en soupirant :

— Que voulez-vous, ces Anglo-Saxons et autres Scandinaves voient la colonisation partout. C'est désolant. Le Mozambique a beau ne pas être une ancienne possession de la France, nous l'avons incorporé dans notre giron. Il fait partie de la francophonie, n'est-ce pas bizarre ? Et naguère, pour notre ministère de la Coopération, il était inclus dans ce que l'on appelle le pré carré. C'est-à-dire que...

— Il suffit ! coupa l'Ambassadeur.

De ce galimatias il ne retenait qu'une seule chose : un scandale était possible. Il fallait l'étouffer sur-le-champ, qu'il fût le fait de ce trublion ou le résultat d'événements plus complexes qu'il ignorait. Peu importait, l'urgence était de désamorcer la bombe.

— Vous commencez par le meurtre de cet hôtelier et maintenant vous me parlez de la délégation des écologistes de l'ONU. Je ne vois pas où est le rapport ? Expliquez-vous.

— M'expliquer ? Mais c'est exactement ce que je suis venu vous demander, monsieur l'Ambassadeur ! Et je suis heureux de voir que vous êtes prêt à m'écouter.

— En effet, je vous écoute.

Aurel fit une moue gênée. Il tourna la tête d'un côté et de l'autre, en balayant du bras l'étendue déserte du golf, sur laquelle le soleil commençait à taper.

— Le lieu n'est pas approprié. J'en ai pour un assez long moment et il fait déjà très chaud.

— Alors, allons à mon bureau, proposa vivement l'Ambassadeur.

L'idée de retrouver ses gendarmes et ses secrétaires lui donnait soudain l'espoir de pouvoir se débarrasser de ce personnage, en tout cas de le neutraliser.

— Nous n'y serions pas vraiment tranquilles, déclina Aurel. Je connais un autre endroit plus calme, plus neutre. Si vous voulez me suivre avec votre voiture, je vais vous y conduire. Je suis dans un taxi bleu. Il est garé devant l'entrée du golf.

Pellepoix hésita. Après tout, que craignait-il ? Si cet énergumène le conduisait dans un guet-apens, son chauffeur l'avertirait du danger. D'ailleurs, sitôt revenu à sa voiture où il avait laissé son portable, il appellerait le bureau pour demander à ses services de tracer son téléphone et de le géolocaliser.

— Allons-y !

Il gagna le Club-House à grandes enjambées et, sans même se changer, monta à l'arrière de sa longue voiture noire.

— Suivez ce taxi, Norbert.

L'étrange convoi quitta le golf : le vieux taxi défoncé, couvert d'autocollants à la gloire de la Vierge Marie pour cacher les trous de rouille, remorquait la limousine diplomatique rutilante que le chauffeur avait lustrée à la nénette, comme tous les matins.

Ils roulèrent une dizaine de minutes dans les rues rougies par la poussière de latérite. Motos et piétons encombraient la chaussée. La fumée de gros camions rampait en nuages mauves le long du sol. Aurel laissait pendre son bras par la fenêtre grande ouverte du taxi. Il respirait à pleins poumons les effluves de gasoil, avec le ravissement du citadin en vacances qui vient d'arriver à la montagne et qui hume l'air pur des cimes.

Enfin, ils klaxonnèrent devant un portail en acier noir, puis entrèrent en file indienne dans la cour du couvent des Carmélites.

La première personne qu'ils virent apparaître fut un Mortereau hagard. Il se précipita d'abord sur le taxi puis, voyant entrer à sa suite la voiture de l'Ambassadeur, il perdit tous ses moyens. Curiosité et flagornerie se disputaient l'expression de son visage.

— Je ne comprends pas, bredouilla-t-il à l'adresse d'Aurel, tout en gardant les yeux fixés sur l'Ambassadeur en tenue de golf. Une religieuse est venue au consulat me dire qu'on avait besoin de moi de toute urgence au couvent. Et je vous trouve… Mes respects, monsieur l'Ambassadeur. C'est vous qui m'avez fait quérir, sans doute ?

— Non, c'est moi, coupa Aurel en prenant une voix nasillarde de répondeur téléphonique.

— Ah bon ! Vous ? Mais pourquoi ?

— Entrons, dit Aurel en s'engouffrant dans le parloir des nonnes qui lui était maintenant familier.

La supérieure les y accueillit. Elle avait été informée par Lucrecia de ce qui allait se passer et se retira sitôt les hôtes installés. Aurel se cala confortablement dans son habituel canapé. Mortereau s'assit sur le rebord d'un fauteuil. Et l'Ambassadeur, qui entendait rester debout, posa finalement une fesse prudente sur l'accoudoir plat du deuxième divan.

— Nous vous écoutons, claironna-t-il avec impatience.

Mortereau s'apprêtait à se confondre en excuses mais Aurel prit la parole et commença sa péroraison avec une assurance que le Consul général ne lui soupçonnait pas. Un instant, Mortereau fut tenté de se réjouir : la métamorphose de son protégé était un motif de fierté pour lui. Mais très vite, la panique le gagna et il se demanda ce que cet imprévisible personnage allait bien pouvoir déclarer.

— Tout d'abord, monsieur l'Ambassadeur, commença Aurel, je tiens à affirmer que je porte l'entière responsabilité de cette enquête et de ses conséquences. M. le Consul général ici présent ne m'a pas donné d'instructions et j'ai agi de mon propre chef.

Mortereau était embarrassé. Il ne pouvait pas insister pour dire qu'il était au courant, sauf à monter dans une barque que son subordonné allait conduire Dieu seul savait où. En même temps, il perdait ainsi toute chance de s'attribuer un quelconque mérite dans ses découvertes. Il se tut et tenta sans grand succès de composer un sourire qu'il avait vu arborer par l'Ambassadeur quand la situation était incertaine : la commissure droite se soulevait, donnant une vague impression de contentement, tandis que la gauche s'abaissait, prête à entraîner tout le visage dans une moue réprobatrice.

— Quand Roger Béliot a été assassiné, reprit Aurel, j'ai été chargé de rendre les visites consulaires d'usage à son ex-femme, accusée du meurtre et incarcérée.

L'Ambassadeur remuait nerveusement le pied. Le rythme de cette confession lui paraissait trop lent. Il était pressé d'en arriver au but. Aurel, lui, prenait son temps.

— J'ai rapidement acquis la conviction que cette femme était accusée à tort.

— Donc, vous avez mené votre petite enquête, coupa Pellepoix de la Neuville pour le faire accélérer.

Aurel suivait son idée.

— La vie de ce Béliot était compliquée. Une première épouse française dont il était séparé depuis des années, une deuxième femme mozambicaine qui vivait de son côté, et une jeune maîtresse ici présente.

— Une religieuse ! s'exclama Pellepoix en se redressant.

— Quelle imagination, monsieur l'Ambassadeur, plaisanta Aurel en agitant le doigt comme s'il grondait un enfant. Non, non. La jeune Lucrecia habite simplement ici en ce moment. Les sœurs l'ont recueillie.

Le diplomate haussa les épaules et rougit légèrement, furieux d'avoir laissé apercevoir ses fantasmes.

— À première vue, poursuivit Aurel, la victime était entourée de conflits et de haines. La première idée qui venait à l'esprit était d'imaginer qu'il avait été éliminé par une de ses femmes. Mais, voyez-vous, je suis arrivé assez vite à une conclusion surprenante : elles étaient toutes amoureuses de lui. Ou, en tout cas, elles l'avaient été et le respectaient. Si cela vous intéresse, je pourrai essayer de vous expliquer pourquoi.

Pellepoix agita la main avec impatience. Il était incapable de se soustraire à ces élucubrations et, en même temps, sentait qu'il aurait dû mettre fin à ce monologue incongru. Il faisait avec la bouche des mouvements arrondis de carpe asphyxiée.

— Bref, résuma charitablement Aurel, il fallait chercher ailleurs. Il se trouve qu'à l'enterrement j'ai rencontré une amie de longue date de Béliot, une Française qui l'a connu jeune.

Mortereau se tourna vivement vers Aurel. Il découvrait que son adjoint lui avait caché des informations importantes et s'épouvantait tout à coup de ce qu'il allait pouvoir révéler.

— Là encore, poursuivit Aurel sans s'émouvoir, je vous passe les détails. Mais cette femme m'a mis sur la voie en me disant ceci : élevé par une mère qui le portait au pinacle, Béliot se voyait en demi-dieu. Il s'estimait injustement traité par la vie et ne supportait pas la médiocrité de sa condition. Il attendait de pouvoir prendre un jour sa revanche. Bref, il rêvait du gros coup.

Aurel écartait les bras, afin de donner une idée de la taille énorme du « coup » en question.

— Pour ça, il était prêt à trahir tout le monde. Et il l'avait fait. Mais tout avait toujours foiré, si vous me permettez cette expression.

Cette liberté, auprès de celles qu'Aurel avait prises sans en demander la permission, n'était guère considérable. L'Ambassadeur agita la main d'un geste las. Ses dernières résistances étaient en train de céder.

— Béliot s'était retrouvé au ban de la société partout, et avait échoué ici. Il avait été bien accueilli dans ce pays mais à force de faire des crasses à ses derniers partenaires en affaires, il avait fini par se faire détester aussi. Et plus il perdait son crédit, plus il était isolé, méprisé, plus il rêvait de prendre sa revanche. C'est-à-dire plus l'idée du « gros coup » l'obsédait.

— Passons au gros coup, s'impatienta l'Ambassadeur.

Aurel tripotait rêveusement le tissu de son pantalon et feignait de lui donner un pli qu'il n'avait plus depuis longtemps.

— Avez-vous remarqué une chose étrange ici ? Il y en a beaucoup, me direz-vous. Je vous l'accorde !

Pellepoix découvrit les dents et ce qui pouvait passer pour un sourire encouragea Aurel.

— Si vous consultez les statistiques officielles, dans ce pays, cent pour cent des défenses d'éléphants abattus par des braconniers sont saisies par les gardes forestiers, la police, etc.

Vous m'entendez : cent pour cent. Toutes, en d'autres termes.

— Oui, cent pour cent. Et alors ?

— Alors, pourquoi continue-t-on à chasser illégalement ces pachydermes dans un pays où il n'y a *aucune* chance d'échapper aux contrôles ? Et on n'en chasse pas un peu. On en chasse énormément. Malgré la prohibition et les saisies, les abattages n'ont pas diminué du tout. Ils auraient même tendance à s'accroître : qu'est-ce que vous dites de cela ?

Mortereau, voyant l'agacement de l'Ambassadeur, jugea prudent de répondre à sa place.

— Peut-être que les statistiques officielles sont fantaisistes ?

— Fantaisistes ! glapit Aurel. Elles sont validées par l'ONU et contrôlées par les plus grandes ONG de protection de la nature.

— Alors, peut-être que les braconniers espèrent quand même s'en tirer, garder quelques défenses pour eux en douce.

— Aucune chance !

— Est-ce que vous allez cesser de nous faire jouer aux devinettes ! coupa l'Ambassadeur.

Encouragé par le renfort inespéré de son Consul général, il trouva même la force de claquer du plat de la main sur sa cuisse

— Soit ! concéda Aurel en levant les bras comme s'il se rendait. Je vous donne la réponse. Elle m'a coûté du temps, croyez-moi. C'est pourtant très simple.

Sur ces mots, il surprit ses interlocuteurs en se levant d'un bond.

— Les braconniers continuent d'abattre des éléphants parce qu'ils ont l'assurance de pouvoir quand même *revendre* les défenses.

— Vous venez de nous dire qu'elles étaient saisies ! s'indigna l'Ambassadeur.

Aurel fondit jusqu'à lui et lui pointa un doigt sous le nez, au grand désespoir de Mortereau.

— Tout juste, Excellence ! Tout juste ! Suivez-moi bien.

Il retourna se placer au centre de la pièce et fit mine de courir lourdement sur place.

— Voici un éléphant. Tout à coup, horreur, des chasseurs apparaissent !

Il sursauta et se figea, comme s'il avait vu un commando menaçant sortir du mur où était épinglée une image jaunie de saint Jean-Baptiste.

— Pan ! s'écria-t-il. Ils tirent. Derrière l'œil, c'est là qu'il faut viser, tout le monde le sait. L'éléphant est tué.

Il mima le pachyderme atteint par une balle puis s'effondra sur le canapé, touché à mort.

— Ensuite, cria-t-il en se relevant, on lui ôte ses défenses. On les dépose dans un entrepôt.

Il fit mine d'arracher deux énormes appendices autour de sa bouche.

— Et là, un beau jour, discrètement, les braconniers viennent les récupérer. En douce, bien sûr, en graissant la patte à pas mal de gens. Le tour est joué.

Les bras levés, Aurel se tourna vers l'Ambassadeur puis vers Mortereau, comme un boxeur qui salue la salle sur le ring après sa victoire.

— Tout le monde est content. L'ONU est contente : protection de l'environnement. Le gouvernement est content : il touche plein de subventions internationales. Les braconniers sont contents parce qu'ils se font un max de profit. Et les Chinois sont contents parce qu'ils peuvent continuer à fabriquer des boules de billard.

Puis, prenant d'un coup un air accablé, il se rassit sur le canapé.

— Il n'y a guère que les éléphants pour ne pas être contents. Mais ceux-là, tout le monde s'en fout, naturellement.

— Vous êtes en train de nous dire, intervint l'Ambassadeur pour redonner un peu de sérieux à cet entretien, que ce sont les braconniers eux-mêmes qui ont volé le stock d'ivoire ?

— Je l'affirme, oui.

— Et quelle preuve avez-vous ? demanda Mortereau.

— Surtout, quel est le lien avec l'assassinat de ce vieil hôtelier ? compléta l'Ambassadeur en secouant la tête d'un air consterné.

Aurel les dévisagea l'un après l'autre, se leva et dit, en braquant le regard sur le petit Jésus joufflu d'une des reproductions épinglées au mur.

— La piscine était verte.

Après un instant de sidération, cette phrase provoqua une véritable révolte chez ses interlocuteurs. L'Ambassadeur envoya un coup de pied dans un guéridon, renversant une pile de *Famille chrétienne* en portugais. Mortereau prit son visage dans ses mains comme pour s'extraire d'une réalité de cauchemar.

— Ça suffit ! hurla Pellepoix. Vous vous moquez de nous.

L'Ambassadeur se dirigea vers la porte. Tout de même, avant de la franchir, il s'avisa qu'il était dans un couvent : il redressa le guéridon et remit en place les journaux éparpillés. Mortereau se précipita pour l'aider. Pendant qu'ils étaient baissés, Aurel avait ouvert une grosse boîte posée sur la table centrale depuis le début de l'entretien. Les diplomates avaient pensé qu'il s'agissait d'un instrument appartenant aux sœurs. Avec sa surface grise en plastique imitant le tissu, on aurait dit un vieux tourne-disque. En réalité, une fois ouvert, l'appareil se révélait être un magnétophone d'un modèle ancien. Aurel pressa un des boutons.

« ... whisky. Et dépêche-toi, espèce de garce. »

La voix forte qui était sortie de l'appareil était celle d'un vieil homme. L'Ambassadeur et le Consul général se redressèrent. Aurel appuya de nouveau sur la grosse touche et arrêta la bande.

— Vous n'avez pas connu Roger Béliot ? demanda-t-il suavement. Il faut avouer qu'il n'était pas tendre avec son personnel. Heureusement, il était plus aimable avec ses invités.

Il pressa une autre touche qui fit avancer la bande rapidement puis il appuya sur « lecture » et le magnéto se remit en route. On entendait dans le haut-parleur des craquements de fauteuil en osier, le bruit d'une respiration rauque. La voix de Béliot retentit de nouveau, radoucie, presque aimable.

« Ça va ? La forme ?

— Ah, tu sais, on est des vieux, maintenant. »

La personne qui parlait était assez loin du micro. On l'entendait distinctement mais faiblement. L'homme s'exprimait en français avec un lourd accent portugais.

« Bon, poursuivit la même voix, passons aux choses sérieuses : on a un problème, Roger. »

L'apparition sonore de ces deux personnages dans le silence du parloir avait soudain redonné force aux propos d'Aurel. L'Ambassadeur et son Consul général se tenaient debout au-dessus de la table basse et regardaient tourner les bobines.

« Quel genre de problème ?

— Le genre grave. Très grave, même.

— Je t'écoute.

— L'ONU envoie un groupe d'inspecteurs pour assister à la destruction des…

— Chut ! »

L'enregistrement permit d'entendre un bruit de talons féminins. Puis des verres tintèrent et les pas de la serveuse s'éloignèrent. La conversation reprit. Béliot intervint le premier.

« Qu'est-ce que c'est que cette histoire d'inspecteurs ?

— C'est comme je te dis. Il paraît que l'ONU a fait savoir que ça ne pouvait pas durer plus longtemps. Il était prévu déjà de tout détruire l'année dernière et il ne s'était toujours rien passé.

— Mais ce n'est pas possible. Je pensais qu'on pourrait faire ça dans six mois.

— Il y a déjà beaucoup de marchandise. Pourquoi veux-tu attendre plus longtemps ?

— Parce que mes potes sont sur un coup. Tout un troupeau. Ils attendent qu'ils passent la frontière. Ça fera au moins cent paires de plus.

— Eh bien, je te dis, moi, que si on attend, on n'aura rien du tout. »

Des glouglous indiquèrent que Béliot venait de finir son verre d'un trait.

« Maïté, un autre ! cria-t-il, en saturant l'enregistrement. Il faut se débarrasser de ces fouineurs. Ça sert à quoi, bon Dieu, qu'on paie tout ce monde si personne n'est capable d'arrêter ça ?

— L'ONU, Roger ! Qu'est-ce que tu veux qu'ils fassent contre l'ONU ?

— Ils arrivent quand, ces inspecteurs, tu dis ?

— Le vingt-deux.

— On est déjà quoi ? Le onze. Bon, tu as raison. Il faut y aller alors.

— C'est mon avis aussi.

— On est prêts ?

— Pas vraiment mais je préviens le destinataire et je pense qu'on peut vider le stock d'ici quarante-huit heures. »

Aurel pressa la touche et l'enregistrement s'arrêta.

— Comment avez-vous eu ça ? demanda l'Ambassadeur.

— J'espère, dit Aurel en ignorant la question, que maintenant vous allez vous asseoir et m'écouter.

L'Ambassadeur et Mortereau se regardèrent, gênés par leur propre embarras. Pellepoix, lentement, comme le tigre dompté prend place de mauvaise grâce sur un tabouret, recula jusqu'à un fauteuil et s'y assit. Mortereau s'empressa de l'imiter.

— Béliot cherchait un gros coup et il l'avait trouvé.

Aurel commençait son récit sur le ton du grand-père qui raconte une histoire à ses petits-enfants.

— Le garçon choyé par sa mère, le fils unique qui se rêvait en roi du monde avait fini par trouver la grosse affaire qui lui assurerait la fortune, sinon la gloire.

Les religieuses, comprenant que le conciliabule durerait, avaient repris leurs activités. Elles allaient et venaient autour du bâtiment. Aurel regardait passer les cornettes le long des fenêtres, comme des voiliers cinglants sur l'horizon.

— Toute sa vie, Béliot a eu une passion : la chasse. Les armes à feu lui donnaient sans doute un sentiment de toute-puissance et le mettaient pour un instant à la hauteur des ambitions de sa défunte mère.

La chaleur qui montait, le contrecoup des événements de cette étrange matinée, le fauteuil profond où il s'enfonçait, tout contribuait, si Aurel continuait à jouer « Bonne nuit les petits », à ce que l'Ambassadeur, déjà les yeux mi-clos, s'endorme tout à fait.

— Béliot a chassé longtemps, longtemps et de tout : des antilopes, des crocodiles, des lions. Et même des éléphants. Et puis un jour, après sa première attaque, il lui est devenu impossible de marcher dans la brousse.

La mâchoire de Pellepoix allait se décrocher quand soudain Aurel l'éveilla d'un coup de cymbales.

— Mais non ! hurla-t-il, Béliot n'allait pas renoncer comme ça, abandonner ses idées de richesse et de trophées. Un jour – il faut l'imaginer car bien sûr nous n'en saurons jamais rien –, c'est en rêvant aux éléphants et à leurs défenses d'ivoire brillant qu'il a eu l'IDÉE.

Aurel se mit debout et alla s'adosser à une fenêtre que le soleil tiédissait. Il prenait l'air inspiré du causeur appuyé à une cheminée.

— Les débuts, nous ne pouvons que les reconstituer à ce stade. Mais bientôt, quand les intéressés raconteront leur histoire, nous saurons tout dans le détail.

— Quels intéressés ? De quoi parlez-vous ?

— Béliot savait probablement que sa femme Fatoumata le trompait, poursuivit Aurel qui déroulait tranquillement sa pensée. Je crois bien que ça lui était indifférent et même que cela servait ses intérêts car elle avait choisi pour amant Ignace, le chef de la police qui allait bientôt partir à la retraite. C'est à lui que Béliot est allé proposer son gros coup.

À ces mots, Mortereau eut l'esprit traversé par une plaisanterie grivoise. Il pouffa mais l'Ambassadeur le foudroya du regard et il rougit.

— Il l'a convaincu de tout : encourager le gouvernement à réprimer le trafic d'ivoire et organiser en même temps le vol des stocks confisqués.

— Il y a bientôt sept ans que le gouvernement de ce pays a pris une attitude écologique, coupa Pellepoix, soudain ragaillardi d'avoir cru trouver une faille dans les propos d'Aurel. Et que je sache, il n'y a jamais eu le moindre vol d'ivoire sous douane.

— En effet. Mais la législation n'a pas pris effet tout de suite, ni les confiscations. Les premières défenses ont été déposées dans cet entrepôt il y a moins de quatre ans. Nos conspirateurs ont attendu qu'il y en ait suffisamment pour que le magot s'arrondisse.

L'Ambassadeur fit un « hum » qui indiquait son scepticisme. Malgré tout, il était bien obligé de reconnaître qu'Aurel maîtrisait son affaire.

— Et qui sont, selon vous, ces gens que Béliot prétend avoir « arrosés » ?

— Il y en a probablement à tous les niveaux : gouvernement, justice, police, douanes. Ils se sont assuré des complicités partout. Reste que le noyau dur de l'affaire est assez restreint.

— C'est-à-dire ?

Aurel compta sur ses doigts.

— Béliot lui-même, bien sûr. L'ancien chef de la police et indirectement Fatoumata. Piotr, qui servait d'agent de liaison avec tous les complices. Et quelques chasseurs.

— Des chasseurs ?

— Oui. C'est assez logique. Dans un montage pareil, Béliot ne pouvait pas envoyer un avis à tous les braconniers en disant : on interdit la chasse mais vous pouvez continuer à tirer. Il a dû mettre dans la confidence deux ou trois chasseurs de confiance.

— Ceux dont il parle dans l'enregistrement, dit Mortereau sur un ton assuré.

Il comprenait maintenant que la piste était sérieuse et tentait de monter dans le convoi, en faisant celui qui était au courant de tout.

— Deux broussards sont venus à l'enterrement, reprit Aurel. Je sais que Béliot les recevait régulièrement chez lui.

— Selon vous, lequel de tous ces complices a pu s'en prendre physiquement à Béliot, et pour quelle raison ?

La question de l'Ambassadeur montrait qu'il commençait à prendre l'hypothèse d'Aurel au sérieux. Celui-ci sentit qu'il avait gagné la première manche. Il se détendit, fit quelques pas et alla jusqu'à la porte du parloir. Il appela une des sœurs et lui demanda très humblement si elle pouvait leur faire apporter à boire. Il revint en s'épongeant le front avec son mouchoir et il reprit sur un ton plus apaisé.

— La particularité de Béliot était qu'il ne recevait jamais ses sbires tous ensemble. Il les divisait. Peut-être pour régner, peut-être pour ne pas attirer l'attention. Le soir du crime, sa piscine était allumée en vert.

L'Ambassadeur s'impatienta. Il espérait qu'Aurel n'allait pas recommencer avec ses énigmes.

— C'est-à-dire ?

— Le vert était la couleur réservée aux chasseurs.

— Donc, ce sont eux ! coupa Mortereau.

— Béliot attendait les chasseurs, soupira Aurel, mais rien n'indique qu'ils soient venus. Ni qu'ils soient venus seuls.

— Vous devez avoir un enregistrement de la nuit du crime parmi ces bandes magnétiques que vous avez trouvées ?

L'Ambassadeur avait posé cette question en montrant une certaine impatience. Il se doutait qu'Aurel avait d'autres atouts dans la manche et il n'aimait pas la manière dont il ménageait ses effets.

— Malheureusement non.

— Et pourquoi donc, puisque, apparemment, vous avez trouvé le magnétophone ?

Aurel soupira.

— Voyez-vous, monsieur l'Ambassadeur, ce Béliot était un vieil homme. Je dirais même un pauvre vieil homme. Il avait son hôtel, certes, mais rien d'autre, et vu la façon dont il le gérait, il ne lui rapportait pas grand-chose. Le dispositif qu'il avait installé pour espionner ses visiteurs datait de sa dernière période de splendeur, c'est-à-dire des années 80. C'est pourquoi il utilisait un enregistreur de bandes magnétiques, qui avait été moderne à cette époque mais est aujourd'hui largement dépassé.

— Et alors ?

— Alors, il n'y avait pas de sécurité dans ce système. En cas de panne de courant, il s'arrêtait.

— Il y a eu une coupure le soir du crime ?

— À vingt et une heures. J'ai vérifié et de plus je m'en souviens, parce que ce soir-là, j'étais en train d'écouter une retransmission d'un concert donné à la cathédrale de Bucarest par le grand chef d'orchestre Barenboïm…

— Bref ! Et il n'y a pas de générateur, en cas de panne ?

— Le temps qu'il se mette en route, le magnétophone s'arrête et il ne redémarre pas seul.

— Donc, nous sommes coincés, s'écria Mortereau dépité.

— Pas tout à fait.

L'Ambassadeur était excédé.

— Si vous nous disiez tout de suite, sans nous imposer ces espèces de coups de théâtre, ce que vous savez, nous gagnerions du temps.

— Vous avez mille fois raison, concéda Aurel.

Puis il se tut, bien calé dans son fauteuil, les mains sur le ventre.

— Alors ? pressa le Consul général.

Aurel gardait toujours le silence.

L'Ambassadeur se dressa sur ses pieds et fit mine de se diriger vers la porte.

— Ça suffit, cette comédie.

Mortereau était prêt à le suivre. Mais Aurel, tout à coup, s'adressa à lui.

— Très cher Consul général, puisque vous êtes ici le plus jeune, voulez-vous vous charger d'une petite besogne pour moi ?

— De quelle nature ?

— Montez sur la chaise là-bas et regardez par-dessus ce vaisselier.

Le Consul général était interloqué que son subordonné pût lui donner ce genre d'ordre. Il ne bougea pas. Mais l'Ambassadeur, le voyant hésiter, lui fit signe de s'exécuter. Mortereau saisit la chaise et l'approcha du vaisselier. C'était un meuble en sapin dont les étagères étaient encombrées d'images pieuses et de petites statues de la Vierge rapportées de Fatima ou de Lourdes.

— Il y a une boîte ronde en fer, là-haut, dit Aurel. Vous la voyez ?

Mortereau saisit une vieille boîte de biscuits anglais et la descendit.

— Ouvrez-la, je vous prie.

Le Consul général fit une grimace en tirant sur le couvercle qui était un peu collé. À l'intérieur, il découvrit un paquet de feuilles roulées.

— Regardez le document qui est sur le haut du paquet. La première feuille, oui.

C'était la photocopie d'une page de cahier à petits carreaux. Elle était couverte de chiffres.

— Je ne vais pas vous faire perdre votre temps à décrypter tout cela.

L'Ambassadeur prit le papier des mains de Mortereau. Pendant qu'Aurel commençait ses explications, il avait déjà compris.

— Sur cette feuille, vous avez une date : elle correspond au lendemain du jour où est enregistrée la conversation que je vous ai fait écouter (les bandes de Béliot étaient classées par date). Au-dessous, vous trouvez un chiffre. C'est exactement le nombre de défenses d'éléphant présentes dans l'entrepôt le jour du vol. Il a été abondamment relayé par la presse depuis lors. Il est multiplié par un montant à deux zéros, sans doute le prix unitaire acheté par le trafiquant.

Mortereau suivait du doigt sur la feuille.

— Plus bas, vous lisez un autre chiffre. Celui-ci m'a donné du mal mais j'ai fini par trouver. Je pense qu'il s'agit de la valeur des commissions, je veux dire les pots-de-vin à répartir entre tous les gens dont il a fallu s'assurer la complicité. Reste un total : la somme que doivent se partager Béliot et ses amis. En dessous de ce total figure la clef de répartition des bénéfices avec les noms des quatre conjurés : outre notre défunt ami, l'ancien chef de la police et les deux broussards. Puis un « F » qui doit vouloir dire Fatoumata. Ils ont tous signé en bas de la page.

— C'est une copie, s'étonna l'Ambassadeur en relevant la tête.

Aurel prit un air modeste.

— L'original est trop précieux pour qu'on le laisse traîner dans un monastère.

— Vous l'avez ?

— Il est en lieu sûr.

Il y eut un moment de grande tension. L'ambassadeur Pellepoix de la Neuville s'était parfaitement rendu compte que son idéal professionnel était menacé. Ce qu'il avait par-dessus tout en horreur se préparait : il allait y avoir des vagues.

— Que proposez-vous ? demanda-t-il à Aurel d'un air détaché, comme on appelle les annonces au bridge.

— Le dossier, certes, n'est pas tout à fait complet. Mais nous avons ce que les juges d'instruction appellent un faisceau de présomptions.

— Et alors ?

— Alors, c'est suffisant pour que vous sollicitiez une audience dès aujourd'hui auprès du Premier ministre. Il vous reçoit en général le jour même ?

La question n'appelait pas de réponse car Aurel était bien informé.

— Une audience. Mais… pour quoi faire ?

— Demander un complément d'enquête sur la base des informations que vous apporterez. Et, dans le même temps, bien sûr, vous saisirez la justice française qui ne s'est guère intéressée à ce dossier jusqu'ici. Vous exigerez l'ouverture immédiate d'une information judiciaire et l'envoi d'une commission rogatoire.

Neuville comprenait qu'il s'était trompé : ce n'était pas une vague, c'était un tsunami. Il imaginait la réaction des autorités mozambicaines, la crise diplomatique, la colère du Quai d'Orsay. Il lui était impossible d'accepter l'idée d'un tel désastre. Il décida de livrer un dernier combat.

— Vous êtes fou, prononça-t-il lentement.

— Hélas, oui, concéda Aurel qui vivait avec cette évidence depuis longtemps.

L'Ambassadeur se leva et bomba le torse pour délivrer son verdict.

— Vous avez fait un excellent travail, monsieur Timescu. Dommage que ce ne soit pas le vôtre. Car vous n'êtes pas policier ; vous appartenez au service consulaire, dois-je vous le rappeler ? En même temps, je comprends ce qui vous a motivé : faire libérer une femme que vous croyez innocente…

— Elle l'est ! bondit Aurel. Il faut bien comprendre ce qui s'est passé. L'assassinat de Béliot est un accident. Après le vol des défenses, ses comparses sont venus pour récupérer leur part du gâteau. Béliot a essayé de les rouler. « Le gros coup », monsieur l'Ambassadeur, il le tenait enfin. Il n'allait pas y renoncer pour cette bande de minables. Ils lui avaient fait confiance. Ils lui avaient laissé garder le papier qui consignait leur accord. Tant pis pour eux.

Aurel parlait vite, avec des intonations qui étaient celles de Béliot. Il rendait à merveille la rumination, la frustration qui habitait son personnage. Puis, soudain, il s'éteignit.

— L'entrevue s'est mal passée, prononça-t-il lugubrement. Ils l'ont attaché, bâillonné, il y a eu des coups. Béliot était un grand cardiaque. Il est mort. Alors, ils l'ont jeté à l'eau pour faire croire à une noyade.

— Peu importe...

— Non, non, renchérit Aurel qui cabriolait maintenant tout autour de la pièce, le doigt levé. Cela importe beaucoup, au contraire. Parce qu'à ce moment-là ils se sont mis à chercher le papier que vous avez entre les mains. C'est pour cette raison qu'ils ont fracturé le petit coffre qui était dans sa chambre. Hélas pour eux, Béliot était malin. Il gardait ce coffre comme un leurre mais il avait une autre cachette, pour ses affaires importantes. Cette cachette, seule sa jeune compagne, Lucrecia, la connaissait...

— Écoutez, Aurel, ça suffit maintenant. Peu importe ces détails. On a compris.

L'Ambassadeur l'avait appelé par son prénom. Une petite victoire : Aurel battit des paupières avec coquetterie.

— Non, non, vous ne savez pas tout. Quand Fatoumata a appris par les journaux que la mort de Béliot était considérée comme suspecte, elle a décidé de protéger ses amis et en même temps de se débarrasser de Françoise, qu'elle a toujours détestée. Coup double ! Pour cela, elle s'est servie de son avocat qui...

— J'ai dit « ça suffit », cria l'Ambassadeur.

Aurel se figea.

— Il se peut que vous ayez raison, déclara le chef de poste. Et alors ? La question est de ne pas compromettre la vie et la liberté d'une innocente puisque vous pensez que Mme Françoise Béliot l'est...

— Elle l'est.

— Soit. Eh bien...

L'Ambassadeur voyait qu'il devait faire une concession et lâcher quelque chose, s'il ne voulait pas tout perdre.

— ... je m'engage à faire une démarche pour qu'elle soit libérée au plus vite. Je connais bien le ministre de la Justice. Tout s'arrange, ici. Il n'y a pas besoin d'ouvrir une crise politique.

Aurel se figea et regarda l'Ambassadeur fixement.

— Il n'en est pas question. Il y a des coupables, il faut les faire punir.

C'était le sang de son grand-père le rabbin qui parlait. Il était habité par une indignation profonde, venue des temps les plus anciens qui avaient donné à son peuple un seul ennemi : l'Injustice. Quand il se trouvait en sa présence, Aurel sentait monter en lui la force des prophètes et le courage des martyrs.

— Punir les coupables ! ricana l'Ambassadeur avec une légèreté qu'il devait bientôt regretter, mais ce n'est ni votre affaire ni la mienne.

— Pas mon affaire ! gronda Aurel, et ses yeux jetaient des éclairs. Pas mon affaire ! Mais qu'est-ce donc que « mon affaire » ? Quelle plus haute affaire avons-nous à traiter sur cette terre que la justice ?

Il était soudain méconnaissable. Malgré son accoutrement et la modestie que conservait d'ordinaire sa personne, un tout autre personnage, d'un coup, habitait ce corps malingre et rayonnait d'une puissance quasiment surnaturelle.

— Un homme est mort, des centaines de bêtes, les plus belles créatures animales de Dieu, sont mortes, une femme innocente a été jetée en prison et il faudrait supporter de voir les coupables jouir impunément de la liberté ?

— Calmez-vous, je vous en supplie, souffla Mortereau, les mains en avant, qui craignait la réaction de l'Ambassadeur.

Mais rien n'arrêtait Aurel. Il se mit à lancer ses invocations d'une voix tonnante qui alerta les sœurs. Plusieurs cornettes vinrent se coller à la fenêtre pour voir ce qui se passait.

— La justice n'est pas de ce monde, je sais ! Mais c'est précisément en la recherchant qu'on tend vers Dieu ou, si vous n'y croyez pas, ce qui parfois est mon cas, vers la part sacrée qui est en nous. C'est le plus bel hommage que nous puissions rendre à nos ancêtres car ils n'avaient, eux, que cette foi pour survivre.

Pellepoix, d'abord sidéré par cette diatribe de feu, reprit peu à peu ses esprits pendant qu'Aurel continuait d'évoquer la justice, ses ancêtres et les éléphants. Quand, à un moment, le prophète reprit sa respiration, il intervint.

— Ce n'est pas la peine de hurler. Je ne ferai pas ce que vous me demandez. C'est ridicule.

Tout le visage d'Aurel s'affaissa. L'éclat de ses yeux disparut. Ils se plissèrent et sa bouche rétrécit, devint un simple trait entre ses lèvres. Il prit soudain une expression cruelle et sournoise.

— Ah, c'est ridicule, susurra-t-il.

— Parfaitement.

— Et vous ne le ferez pas ?

— Non.

Aurel se secoua et rajusta sa veste, quoique ce fût parfaitement inutile, sur ce maillot de corps qu'elle couvrait à peine.

— En ce cas, bonjour !

Il mit un doigt sur sa tempe pour saluer à la manière des ouvriers de naguère.

— Les inspecteurs de l'ONU, eux, seront preneurs de mes informations.

L'Ambassadeur haussa les épaules.

— Allez-y ! dit-il. Vous verrez bien comment ils prendront vos racontars. Ils ne connaissent rien à la situation locale. Alors les infortunes du sieur Béliot...

Aurel ricana lui-aussi. Il attendit que l'Ambassadeur ait repris son sérieux pour ajouter calmement :

— Il y a une information à laquelle, cependant, ils seront sensibles.

— Oui ?

— Le nom du bateau qui a embarqué les défenses. Il doit avoir quitté Mombasa à l'heure actuelle, mais il sera facile de le faire arraisonner dans l'océan Indien.

— Vous savez où sont les défenses ? s'écria Mortereau.

— Cela figure noir sur blanc dans un document qui fait partie de la liasse. Ainsi que les coordonnées de l'acheteur chinois.

Ses deux interlocuteurs se regardèrent, interdits.

— Donc ? finit par demander l'Ambassadeur.

— Donc vous avez le choix. Soit vous faites une démarche locale pour faire châtier les coupables et libérer Françoise Béliot. Soit vous refusez et le scandale sera mondial. Dans cette hypothèse, l'affaire prendra un tour plus écologique que criminel, je vous l'accorde. Et les éléphants seront mieux défendus que les humains. C'est à vous de choisir. Surtout, vous choisissez vos ennemis. Si vous ne dites rien, vous garderez vos bonnes relations locales mais vous mettrez la France au banc des nations, en lui faisant couvrir un trafic d'ivoire. Si vous le dénoncez vous-même, on vous accusera d'avoir indisposé le gouvernement de ce pays mais on vous attribuera le mérite d'être un grand écologiste. En ces temps de mobilisation pour la planète, ce n'est pas négligeable.

L'Ambassadeur réfléchit longuement. Puis, avec mauvaise humeur, il lâcha :

— « Ce qu'on ne peut empêcher, il faut le vouloir. »

— Machiavel, reconnut Mortereau, sans mérite car c'était une des phrases préférées de son chef de poste.

— J'appelle le cabinet du Premier ministre, dit lugubrement l'Ambassadeur en sortant son téléphone portable.

XIV

Il faisait déjà nuit. Les réceptions de ce genre commencent à dix-neuf heures et le soleil est couché sous le tropique, à cette heure-là.

Il y eut d'abord les discours. On ne peut pas se jeter sur le buffet sans avoir payé son écot à la diplomatie. L'Ambassadeur du Liban fit donc un interminable laïus pour remercier tous les participants d'être venus célébrer la fête nationale de son pays. Il se lança ensuite dans une évocation touchante des relations entre le Liban et le Mozambique, relations pourtant réduites officiellement à sa seule présence. Les références littéraires maniées avec élégance par le diplomate ne firent, force est de le déplorer, que creuser l'appétit de tous ceux qui attendaient debout dans les jardins de la résidence. Les plus éloignés de l'estrade, qui se trouvaient également les plus proches du buffet, commencèrent à picorer des petits-fours, malgré les molles protestations des serveurs. D'aucuns réussirent même à convaincre le cuisinier chargé de préparer de petites brochettes qu'il était temps de commencer à les faire griller. Ils dégustaient ses premières productions en essuyant la sauce qui leur coulait sous le menton. L'Ambassadeur du Liban discourait toujours, mais le mouvement vers le buffet gagna peu à peu toute la foule, si bien que le diplomate termina son allocution devant une poignée d'officiels africains inquiets qui observaient les tables de loin, en se demandant ce qu'il leur resterait. Les deux hymnes nationaux enregistrés et diffusés sur une mauvaise sono furent accueillis par des bruits de mastication et un brouhaha dont n'émergèrent que de maigres applaudissements.

Aurel avait attendu respectueusement la fin des discours pour approcher des plats. Il avait d'autant moins de mérite que cette nourriture, préparée la veille et installée au soleil tout l'après-midi en attendant l'ouverture de la cérémonie, ne le tentait guère. Il joua tout de même des coudes pour tenter d'obtenir un verre de blanc. Il était un peu étourdi par cette foule car il n'était pas sorti de chez lui ces six dernières semaines.

La bousculade l'amena à côté d'un gros homme qui, en se reculant, lui marcha sur le pied. Il poussa un cri. L'homme se retourna.

— Timescu !

— Nicolaï ! Toujours aussi vorace, s'écria Aurel, en voyant l'assiette pleine que l'autre tenait à la main.

— À la guerre comme à la guerre !

Ils se saluèrent longuement en roumain puis reprirent en français.

— Je rentre de Bucarest, dit le dénommé Nicolaï, deux mois de vacances.

— J'ai pris aussi quelques semaines de vacances, mais ici, chez moi.

— Drôle d'idée.

— Tu ne sais pas ce que c'est. Avec ta petite Délégation spéciale de Roumanie pour l'Afrique australe, tu travailles tout seul. Tu n'as personne sur le dos. L'ambassade de France, c'est une autre paire de manches.

— Jusqu'à maintenant, tu as toujours fait ce que tu as voulu, c'est-à-dire pas grand-chose, non ?

Nicolaï avait connu Aurel dans d'autres postes et il savait avec quelle énergie il se gardait du travail.

— Cette fois, j'ai eu quelques problèmes avec l'Ambassadeur de France et j'attendais qu'il soit parti.

— On m'a dit qu'il avait été rappelé. Il me semble qu'il n'était pas là depuis longtemps. Que s'est-il passé ?

Aurel, même s'il faisait confiance à Nicolaï, préférait s'en tenir à une version courte.

— Il a démasqué un trafic d'ivoire et il est allé le dénoncer au gouvernement. Ça n'a pas plu aux Mozambicains.

— Ah oui, j'ai entendu ça à la radio. Il paraît pourtant qu'ils ont été exemplaires : ils ont récupéré les défenses qui avaient déjà embarqué à destination de la Chine et ils ont coffré les coupables. Tout le monde chantait leurs louanges. Le Secrétaire Général de l'ONU lui-même…

Ils avaient marché jusqu'au fond du jardin et s'étaient installés sur deux chaises branlantes, Aurel tenant son verre de vin et Nicolaï l'assiette qu'il avait commencé à picorer avec les doigts.

— Ouais, fit Aurel. Exemplaires, exemplaires… Ils ont bien été obligés. Je ne crois pas qu'ils voulaient que tant de gens tombent. Mais la presse a découvert beaucoup de complicités à haut niveau dans l'administration, la police, les douanes. Ils ont été contraints de faire le ménage.

— C'est monté haut ?

— Ils ont réussi à tenir les plus gros bonnets hors du coup. Immunité, etc. Tout de même, ils ont eu chaud et ils ne l'ont pas pardonné à ce pauvre Pellepoix de la Neuville. Il n'avait pourtant fait que son devoir.

Nicolaï haussa les épaules.

— Ils sont marrants, ces Occidentaux. S'ils avaient été élevés comme nous sous Ceausescu, ils auraient appris ce qu'il faut en penser, du devoir…

Aurel sourit et finit son verre de blanc.

— Je vais m'en chercher un autre. Je te rapporte quelque chose à boire ?

— Comme toi.

Aurel plongea dans la mêlée et ressortit en tenant bien haut deux verres remplis de mousseux tiède, faute de mieux.

— Au fait, reprit Nicolaï en saisissant son verre, j'y pensais pendant que tu étais parti. C'est quoi le rapport avec toi ? Pourquoi t'es-tu enfermé chez toi ? Il t'en voulait, l'Ambassadeur ?

— Un peu. Ce serait compliqué à raconter. Il faut un bouc émissaire quand ça ne va pas.

— C'est vrai que ça tombe facilement sur des gars comme nous. Le métèque de service…

— Voilà ! s'écria Aurel, tout heureux de ne pas avoir trop à en dire. Remarque, je ne risque rien. C'est vrai que j'ai un peu aidé à trouver les coupables mais personne ne peut me le reprocher. Et puis, je suis fonctionnaire. En France, c'est sacré. Quand mes supérieurs m'en veulent, c'est-à-dire toujours, ils n'ont qu'une solution : me mettre au placard. Et moi, le placard, j'aime ça !

Ils rirent joyeusement en trinquant avec leurs verres en faux cristal grossier.

Un bon quart d'heure passa, à discuter de choses et d'autres, à prendre des nouvelles de la Roumanie, quand une femme, un téléphone à l'oreille, se détacha de la foule. Aurel n'y prêta d'abord pas attention. Mais la femme cherchait un endroit calme pour mieux entendre et s'approcha du coin où s'étaient réfugiés Aurel et Nicolaï. Quand elle fut à quelques pas d'eux, elle se retourna : c'était Françoise Béliot.

Aurel se figea, incapable de faire autre chose que sourire bêtement. Quand elle eut raccroché, Françoise vint jusqu'à lui.

— Il me semble que nous nous connaissons, dit-elle en fixant sur lui son regard bleu.

— Mais certainement, madame.

Aurel se leva et exécuta une courbette qu'il jugea lui-même ridicule.

— Asseyez-vous, je vous en prie.

Elle le poussa presque et, avec le même empressement qu'il avait mis à se lever, il retomba sur sa chaise. Elle resta debout.

— Je n'ai pas eu l'occasion de vous voir depuis mon séjour en prison.

— En effet, en effet, bredouilla-t-il, incapable d'aller plus loin.

— Ce fut une période très difficile pour moi. Votre visite m'a fait du bien. Je tiens à vous en remercier.

Comme un joueur de tennis débutant qui voit avec terreur la balle arriver vers lui, Aurel comprit que son tour était venu de parler.

— Ce n'est rien... Que mon devoir... Et maintenant... Vous... allez bien ?

— Dieu merci, la vérité est apparue au grand jour. Les salauds qui ont tué mon mari ont pris ma place derrière les barreaux. Je suis particulièrement contente que cette garce de Fatoumata et son affreux amant, l'ancien flic, aient été démasqués.

— J'ai appris que vous n'aviez pas été libérée tout de suite ?

— Pensez-vous ! La justice est lente, surtout quand ce n'est pas une vraie justice. Maître Dieudonné, qui a accepté de me défendre, a mis plusieurs semaines à obtenir qu'ils me lâchent.

Aurel sentit qu'il devait compatir.

— Ça a dû vous sembler long...

— Oui. Mais, du moment où j'ai appris l'affaire des éléphants, j'ai su que c'était gagné. Juste une question de temps.

— Vous avez su cela rapidement ?

Françoise sourit et le regarda avec un peu de pitié. Ce personnage modeste était décidément la dernière roue du carrosse.

— C'est le Consul général Mortereau qui est venu me l'annoncer lui-même dans ma cellule.

Aurel secoua la tête, en signe d'étonnement.

— D'ailleurs...

Françoise se pencha pour parler à l'oreille d'Aurel, quoique, avec le bruit de la fête, elle fût toujours obligée de crier.

— ... il ne faut pas le dire mais le Consul général a joué... un rôle essentiel dans toute cette affaire.

— Tiens donc...

— Il a mené une enquête parallèle et c'est lui qui a donné à l'Ambassadeur les informations qui ont permis d'arrêter les coupables. Et de récupérer l'ivoire.

— Extraordinaire.

— Et savez-vous ce qui l'a mis sur la voie ?

— Vous allez me l'apprendre.

— Une nuit, le gardien, qui était désireux de faire plaisir au consulat de France, à cause d'une affaire de visa je suppose, est venu me réveiller. Il voulait savoir de quelle couleur était éclairée la piscine de mon mari la nuit du meurtre. J'en ai parlé à M. Mortereau. Il m'a dit qu'en effet, cet indice avait été décisif.

Brave Isidore, pensa Aurel, il n'a pas voulu me trahir et il n'a pas donné mon nom.

— J'ignorais, dit-il, que le Consul général fût un héros.

— Un héros, en effet. Modeste comme le sont les héros véritables. Vous pouvez être fier de travailler pour lui.

— C'est peu dire que je le suis, fit Aurel en se soulevant légèrement de son siège et en esquissant une courbette.

Françoise Béliot posa sur lui un regard plein d'une sereine indulgence. Même les plus insignifiantes créatures ont droit au respect et elle était heureuse de témoigner le sien à ce pauvre petit rond-de-cuir.

— Il faut que je rejoigne mon ami, s'excusa-t-elle.

Un homme d'un certain âge, élégant, des cheveux gris crantés peignés en arrière, la cherchait parmi les invités.

— Après ma libération, on m'a hospitalisée. J'étais si faible. Le docteur Fekhi m'a très bien soignée. Il est pakistanais. C'est lui qui m'a amenée ici.

Elle lui fit un petit signe de loin.

— J'arrive, articula-t-elle avec les lèvres.

Un sourire d'adolescente éclairait son visage. Quels que fussent les moyens employés, il fallait reconnaître que le médecin avait su lui redonner goût à la vie et à ses plaisirs.

Elle allait s'éloigner quand Aurel lui posa une dernière question.

— Vous avez des nouvelles de Lucrecia ?

— Elle a accouché d'une petite fille. Un peu prématurée mais rien de grave.

— Elle est toujours chez les sœurs ?

Françoise était déjà loin. Elle cria :

— Avec toute cette affaire, elle a été pas mal sollicitée. Elle a rencontré un journaliste. Belge, je crois, et ils vont partir là-bas avec la petite. Adieu, monsieur... monsieur...

Elle se rendit compte qu'elle avait oublié son nom. Mais il était trop tard pour revenir en arrière.

La réception battait son plein. On entendait des rires et des éclats de voix féminines.

Aurel et Nicolaï restèrent longtemps silencieux à regarder la fête.

— Il y a un piano, tu crois ?

— Il me semble que j'en ai vu un en arrivant, dans le salon.

Aurel se leva et son compatriote, sans trop savoir pourquoi, le suivit. Ils trouvèrent le demi-queue installé devant une des baies vitrées.

Aurel commença à jouer. Puis le jazz lui vint et mille airs de variété. Peu à peu les convives s'attroupèrent autour de lui. Il était très en forme, ou du moins c'est ce qu'ils crurent. Et il les fit danser jusque très tard dans la nuit.

Du même auteur *(suite)*

Sauver Ispahan, Gallimard, 1998 ; Folio, 2000 ; 2014.
L'Abyssin, Gallimard, 1997. Prix Méditerranée et Goncourt du premier roman ; Folio, 1999, 2014 ; Écoutez lire, 2004, 2012.

Essais

Un léopard sur le garrot, chroniques d'un médecin nomade, Gallimard, 2008 ; Folio, 2009.
L'Aventure humanitaire, Découvertes Gallimard, 1994.
La Dictature libérale, Lattès, 1994. Prix Jean-Jacques Rousseau. Hachette Pluriel, 1995.
L'Empire et les nouveaux barbares, Lattès, 1991 ; Hachette Pluriel, 1992.
Le Piège humanitaire. Quand l'aide humanitaire remplace la guerre, Lattès, 1986 ; Hachette Pluriel, 1993.

Collectif

Africa America, en collaboration avec Christian Caujolle et Philippe Guionie, Diaphane, 2011.
Regards sur le monde : les visages de la faim, en collaboration avec Isabelle Eshraghi, Brigitte Grignet, Jane Evelyn Atwood et al., Acropole, 2004.
Mondes rebelles, en collaboration avec Arnaud de La Grange et Jean-Marie Balencie, Michalon, 1999 ; 2001.
Les Économie des guerres civiles, en collaboration avec François Jean, Hachette Pluriel, 1996.

Cet ouvrage a été mis en pages par

CET OUVRAGE
A ÉTÉ ACHEVÉ D'IMPRIMER
SUR ROTO-PAGE
PAR L'IMPRIMERIE FLOCH
À MAYENNE EN AOÛT 2019

N° d'édition : L.01ELIN000475.N001. N° d'impression : 94738
Dépôt légal : octobre 2019
Imprimé en France